40万年前

ネアンデルタール人が、
ヨーロッパと
中東で進化した。

30万年前

サピエンスが
アフリカで進化した。

7万年前

物語が登場した。
サピエンスがおおぜいで
アフリカを離れた。

5万年前

オー

大

4万年前

芸術が生まれた。

3万5000年前

ネアンデルタール人が絶滅した。
人類のうちサピエンスだけが、
最後に生き残った。

1万5000年前

サピエンスが
南北アメリカ全土に広がり、
アメリカの大型動物が絶滅した。

人類の物語

Unstoppable Us

ヒトはこうして地球の支配者になった

ユヴァル・ノア・ハラリ

リカル・ザプラナ・ルイズ［絵］　西田美緒子［訳］

河出書房新社

Author: Yuval Noah Harari
Illustrator: Ricard Zaplana Ruiz

C.H.Beck & dtv:
Editors: Susanne Stark, Sebastian Ullrich

Sapienship Storytelling:
Production and management: Itzik Yahav
Management and editing: Naama Avital
Marketing and PR: Naama Wartenburg
Editing and project management: Nina Zivy
Research assistant: Jason Parry
Copy-editing: Adriana Hunter
Diversity consulting: Slava Greenberg
Design: Hanna Shapiro
www.sapienship.co

Cover illustration: Ricard Zaplana Ruiz

Unstoppable Us: How we took over the world

Kawade Shobo Shinsha Ltd. Publishers, 2022
2-32-2 Sendagaya, Shibuya-ku, Tokyo 151-0051, JAPAN
https://www.kawade.co.jp/

この本を、

すでに世を去った人々、

今を生きている人々、

そしてこれから生まれてくる人々、

すべてに捧げる。

私たちの祖先が、

今ある世界を作りあげてきた。

未来の世界がどんなものになるかを

決めることができるのは

私たちだ。

日本語版のまえがき

この本では、私たち人類の歴史をお話しします。私たちがアフリカのサバンナで暮らす動物の仲間だった時代から、ほとんど神のようになって飛行機と宇宙船で飛びまわる時代までを、順にたどっていくことにしましょう。ただし、歴史から学べるのは過去だけではありません。歴史からは、ものごとがどのように変化するかを学ぶこともできます――人々は、自分たちが作る道具、口にいれる食べもの、信じる物語、だれかと友だちになる方法を、どのように変化させているのでしょうか。歴史は、私たちが暮らしているこの世界が、もしかしたら違うものになっていたかもしれないことを教えてくれます。この世界を今のようにしたのは人間です。そして人間は、この世界を変えることができます。もしも世界に何かひどいことがあると思えるなら、もしかしたらあなた自身の力で、もっとよいものに変えることができるかもしれません。

もくじ

時間のながれ

献辞 005

はじめに そもそも、人類って何? 008

第1章 人類は動物だ 010

第2章 サピエンスのスーパーパワー 040

第3章 私たちの祖先の暮らし 072

第4章 動物たちはどこへ行った? 130

感謝のことば 164

この本について 165

歴史の世界地図

そもそも、人類って何？

おとなになるのは、なかなかたいへんなことだ。きみや、きみの友だちだけでなく、だれにとってもね。動物だって同じだ。

ライオンの子どもがおとなになるためには、走り方をおぼえなければならないし、シマウマをしとめる方法を学ぶ必要もある。イルカの子どもなら、泳ぎ方と魚をつかまえる方法を教わる。ワシの子どもは飛び方と巣の作り方をおぼえる。かんたんなことなんて、ひとつもない。

でも、人類がおとなになるのはもっと難しい。それは、何を学ぶ必要があるかがはっきりしていないせいなんだ。ライオンは走ってシマウマをしとめ、イルカは泳いで魚をつかまえ、ワシは飛んで巣を作る。では、人類は何をすればいいのかな？

きみがおとなになれば、レーシングカーを運転してどんなライオンより速く走れるかもしれない。ヨットに乗って、どんなイルカより遠くまで行けるかもしれない。飛行機を操縦して、どんなワシより高いところまで飛んで行けるかもしれない。動物には想像さえできないようなことを、もっともっとたくさんできるかもしれない。たとえば、新しいコンピューターゲームを発明するとか、まったく新しい種類の薬を発見するとか、火星探検隊のリーダーになるとか。さもなければ、一日じゅう家ですわったまま、テレビを見ていることだってできる。人類には自由に選べることが山ほどある！　だからこそ、人類でいることはとってもややこしい。

ただ、きみが大きくなって、どんなことをするようになるにしても、そもそも人類にはなぜそんなにたくさんの選択肢があるかを知っておくほうがいいだろう。それは、私たち人類が、地球という惑星を支配しているからなんだ。

地球という惑星は、大昔にはたくさんの異なる動物によって支配されていた。大地を支配していたのはライオンとクマとゾウ、海を支配していたのはイルカとクジラとサメ、空を支配していたのはワシとフクロウとハゲワシ、というぐあいに。ところが今では私たち人類がすべてを、大地も海も空も、ぜんぶ支配している。私たちが自動車や船や飛行機に乗って進んで行くと、ライオンやイルカやワシは、それまでいた場所をゆずらなければならない――しかも大あわてで！　動物たちが暮らしている森に私たちが高速道路を作っても、動物にはとめることができない。同じように私たちが川をせきとめてダムを作っても、動物の力ではとめられない。人類が海と空をよごしても、動物にはどうすることもできない。

つまり、今では人類があまりにも強い力をもってしまったために、ほかのすべての動物たちの運命を決めるようになった。ライオンとイルカとワシが今でも地球上で暮らしているのは、私たちがそれを許しているからにすぎない。もしも人類が、世界じゅうからすべてのライオンとイルカとワシを消し去りたいと思えば、来年までにはすっかりいなくなってしまうだろうね。

私たちが手にした力は、とてつもなく大きくて、よいことにも、悪いことにも使うことができる。人類でいるからには、きみは自分の力をよく理解し、それで何をすべきかを考えなければいけないんだ。

そのためには、そもそも私たちがどうやってそれだけの力を手にしたのかを知っておく必要がある。

私たち人類はライオンほど強くないし、イルカほどうまく泳げないし、空を飛べる翼だってもっていない！　それなのに、いったいどうやって、この惑星を支配できるようになったんだろう？

その答えは、世界じゅうのあらゆるお話のなかでも指折りの、とびきり不思議なお話だ。

そしてそれは、ほんとうにあった物語だ。

第1章

人類は動物だ

私たちはその昔、野生動物だった

私たちの物語は、はるかな昔、今から何百万年も前にはじまる。そのころ、人類はごくふつうの動物だった。家に住んでいる人はだれもいなかったし、仕事や学校に行く人もいなかった。自動車も、コンピューターも、スーパーマーケットもなかった。みんな自然のなかで暮らしていて、木にのぼってくだものをもいだり、あたりのにおいを嗅ぎまわってキノコを探したり、ミミズやカタツムリやカエルを食べたりしていた。

ほかの動物たちは——たとえば、キリンもシマウマもヒヒも——人類を少しもこわがらず、人類のことなどたいして気にもかけていなかった。いつの日か人類が月まで飛んでいくなんて、それに、原子爆弾を作ったり、きみが今読んでいるような本を書いたりするなんて、だれにも想像がつかなかったからね。

人類ははじめ、道具の作り方さえ知らなかった。ときどき石で木の実を割ることはあったけれど、弓矢、槍、ナイフはまだなかった。**人類はほかの動物にくらべると弱々しく**、ライオンやクマが姿を見せれば逃げるしかなかった——しかも大急ぎで！

今でも、たくさんの子どもたちが真夜中に目をさまし、ベッドの下に怪物がいると言ってこわがることがある。これは何百万年も前から受けつがれてきた記憶なんだ。そのころには、夜になるとほんとうに子どもたちに近づいてくる怪物がいたからね。真っ暗闇でちょっとでも物音が聞こえたら、それはきみを食べにやってきたライオンかもしれない。大急ぎで木のてっぺんまでのぼれば、助かっただろう。でもそのままウトウト眠ってしまえば、ライオンに食べられる運命だ。

ときには、キリンを捕らえて食べているライオンを、人が遠く離れた安全な場所から、じっと見ていることもあった。自分たちも肉を食べたかったのに、こわくて近づくことなんてできなかったんだ。やがてライオンがいなくなっても、まだ近づこうとしない。こんどはハイエナが残りものを食べに集まってきたせいだ——けんか好きな動物の群れと争いを起こしたい人なんか、いないからね。しばらくしてほかの動物たちがみんないなくなったころを見計らって、こっそりキリンの死骸に近づき、何か食べ残しはないかと探してみると……残っていたのは、肉を食べつくされたあとの骨だけだった。だからしかたなく、肩をすくめてイチジクを探しに出かけた。

そのころ、**だれかひとりが、いいことを思いついた**。石を手にとって、ためしに残っていた骨をくだいてみたんだ。すると、なかから骨髄が出てきた——骨髄というのは、骨の内側にあるゼリー状の部分だ。そしてまたためしにその骨髄を食べてみると、おいしく感じた。それをまわりで見ていた人たちも真似をする。こうしてすぐに、みんなが石を使って骨を割り、骨髄を食べるようになった。人類はようやく、自分たちだけが知っているやり方を見つけた！

動物はそれぞれ、自分たちだけの特別な才能をもっている。たとえばクモは巣を張ってハエをつかまえ、ミツバチは巣を作ってハチミツをたくわえ、キツツキは木の幹に穴をあけて虫をとる。**なかには、とっても変わった才能をもつ動物もいる。**たとえば掃除魚はどうだろう。この小さい魚は、いつもサメのまわりを泳ぎながら、サメの食事が終わるのを待ちうけている。サメのほうは、サケを軽くたいらげると、口を大きくあけたままにして掃除魚を口のなかに招きいれ、歯のあいだに挟まったサケの小さいかけらを取り除いてもらう。こうしてサメはただで歯の手入れをしてもらい、掃除魚はおいしいごはんを食べられるんだ。どういうわけか、サメは掃除魚をきちんと見分けることができ、まちがえて食べてしまうなんてことはない。

大昔の人類にも、ようやく特別なものができた。石を使って骨をくだき、なかにある骨髄を食べる方法を知ったんだからね。何よりも大切だったのは、道具を作るのはいい考えだと、人類が学んだことだった。

そこで人々は棒と石を使い、さまざまな道具を作りはじめた。骨を割る道具にかぎらず、岩に張りついたカキをひきはがす道具、野生のタマネギとニンジンを掘り起こす道具、トカゲや鳥などの小さい動物をつかまえる道具も作った。

そしてついに、棒と石よりずっとすばらしい道具を見つけだす——**人類は火の使い方をおぼえた！**　火は乱暴でおそろしいものだ。ライオンはシマウマ１頭をすっかり食べ終われば、もうおなかがいっぱいで、横になって寝てしまう。ところが火は１本の木を丸々のみこんでしまっても、おなかがいっぱいになるどころか、もっとおなかを

すかせ、木から木へと激しく燃えうつっていく。たった1日で森ぜんぶを食べつくすこともでき、あとには灰しか残さない。もし燃えひろがるのを防ごうとして火にさわったり、火をつかもうとしたりすれば、自分も焼かれてしまうだろう。だから、**動物たちはみんな火をおそれる**。動物にとってはライオンより火のほうがこわい。じっさいには、ライオンだって火をこわがる。

ところが大昔の人類のなかに、火に興味をもちはじめた人たちがいた。棒と石を使うのと同じように、火を使いこなせさえすればなあ……と考えたんだね。

きみは、たき火のそばにすわって、炎がゆれる様子をいつまでも見つめていたいと思ったことはないかな？　それも大昔の人類から受けついだ、もうひとつの記憶だ。はじめ、人類はとても用心深く火に近づき、遠くからじっと見つめていただけだった。あるとき稲妻が光り、雷が落ちて木に火がつくと、人々はそのまわりにすわって明るさを楽しみ、暖をとることができると気づいたのかもしれない。もっとうれしいことに、木が燃えているあいだは危険な動物たちが火をおそれ、近づいてこない。

調理をする人の脳は大きい

人類はなんどもなんども火を見つめ、少しずついろいろなことがわかるようになっていった。そして、火は手に負えない乱暴者ではあっても、いくつかの約束ごとに従っていることに気づいたんだ。どうやら仲よくできそうだった。そしてあるとき、燃える木にむかって長い棒を押しこみ、先端に火がついたのが見えたところで棒を引いてみた。人類が**棒の先で燃える火**を手にした瞬間だ。自分が火に焼かれることなく、燃える棒でさわったものを焼くことができた。これは役に立つ！　人々は行く先々に火をもち歩いて、暖かくすごしながらライオンを追い払うことができた。

それでもまだ大きな問題が残っていた。まだだれも、どうすれば火をおこせるかを知らなかったんだ。**稲妻が光って雷が落ちるのを待つのでは、なんとももどかしい。**寒くて雨が多ければ、木のそばで一年じゅう待っていても、雷は落ちないだろう。それにライオンに追われていれば、2 秒だって待ってはいられない。「今すぐ」火がほしいのに！

やがて人類は、やっとのことでこの問題を解決する方法を考えだした。ひとつは、火打ち石を「黄鉄鉱（パイライト）」と呼ばれる別の種類の石に打ちつける方法だ。思いっきり力を入れて黄鉄鉱を打つと、火花が飛ぶ。その火花が枯れ葉に届くようにすれば、火がついて燃えはじめる。

もうひとつの方法では、大きな乾いた木片を見つけ、表面を削って丸い窪みを作ってから、そこに枯れ葉をつめこんでおく。つぎに、小枝の先を削って尖らせ、その先を窪みに差す。そして両方のてのひらで小枝をはさみ、力を入れて窪みのほうに押しつけながら、できるだけはやく小枝を回転させる。何分間か、休まずまわしつづけなくてはいけない。

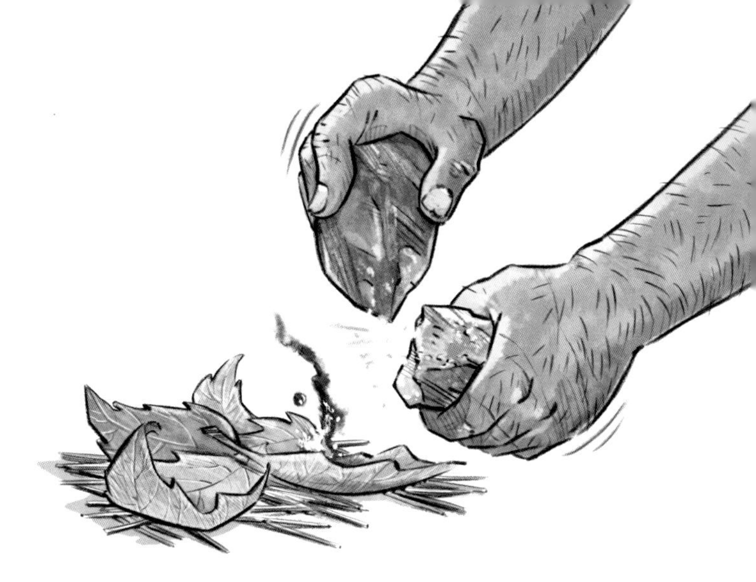

すると枝の先がどんどん熱くなっていき、やがて枯れ葉に火がつくだろう。穴から煙が立ちのぼってきたら、そろそろ炎が出るころだ。燃えた！　もうライオンの姿が見えても、火のついた棒をふるだけでライオンは逃げていく。

人類は火を使いこなすことによって、ほかのどんな動物ともちがう生きものになった。ほとんどすべての動物は、自分の体で力を生みだす。たとえば、筋肉の強さ、歯の大きさ、かぎづめの鋭さが頼りだ。でも人類は火のおかげで、自分たちの体とはまったく関係のない無限大の力の源を、自在に操れるようになったんだからね。弱々しいひとりの人間でも、火のついた棒さえ手にすれば、何時間かで森全体を焼きつくして、何千本もの木を倒し、何千頭もの動物たちを殺すことができた。

でも、火のいちばん大きな力は、じつはライオンを追い払うことでも、体を温めることでも、あたりを明るくすることでもなかった。火のいちばん大きな力とは、大昔の**人類が調理をできるようになった**ことなんだ。

人類が火を手にする前は、なんでも生のまま食べなければならなかった。だから、食べるには長い時間とたいへんな手間がかかった。まず食べようとするものを小さくくだいてから、長い時間をかけてよく嚙んで、ようやく飲み込めても、まだ胃がいっしょうけんめいに消化しなければならなかったからだ。そこで人間には大きな歯と大きな胃、さらに根気も必要だった。でも人類がいったん火を手にすると、**食べることがずっとかんたんになった。**調理によって食べものがやわらかくなったおかげで、食べて消化するのに必要な時間も労力も、ずっと少なくてすむからね。すると、人類が変わりはじめた！　歯が小さくなり、胃も小さくなったんだ……そのうえ、自由な時間が、それまでよりずっと長くなった！

　きみはこれを、自分でもためしてみることができるよ。こんど、だれかがジャガイモの料理を作っているのを見たら、フライパンに入れる前のジャガイモをひと切れだけもらって、味見させてもらうといい。でも、ちょっと待って。生のまま食べるのはやめにして、ただ小さいかけらを、なめるだけにしておこう。それでもたぶんすぐに吐きだして、口を洗いたいと思うだろう。かたいし、おいしくない！　それなのに調理したジャガイモは、とってもおいしいね!!　台所で調理するときには、コンロやオーブンや電子レンジを使い、じっさいに自分で火をおこすようなことはない。でも調理はまず、たき火ではじまった。だから、もしきみがベイクドポテトやフライドポテトが大好きなら、まず大切な友だちである火に、ありがとうを言わなくちゃいけない。

　科学者のなかには、人類の脳が大きくなりはじめたのは、調理のおかげだと考えている人たちもいる。いったい、調理と脳にはどんなつながりがあるのかな？

　考えてみよう。人類が食べものを大きな歯で嚙んで大きな胃で消化することに、たくさんの時間とエネルギーを費やしていたころには、脳に使えるだけのエネルギーはあまり残らなかった。そのために、大きな胃をもっていた最初のころの人類では、まだ脳が小さかったんだね。ところが調理がはじまると、状況がすっかり変わっていった。人類が食べものを嚙みくだいてから消化するまでに使うエネルギーが、それまでよりずっと少なくてすむようになったから、それまでより多くのエネルギーを大きい脳に注ぐことができるようになったというわけだ。こうして胃が小さくなり、脳が大きくなって、人々はそれまでより賢くなった。

　でも、こうして生まれたちがいを、あまり大げさに考えてはいけない。たしかに大昔の人類はそれまでより賢くなり、道具を作り、火をおこし、ときにはシマウマやキリンをしとめることもできるようになった。そしてライオンやクマから、前よりもしっかり身を守れるようにもなった。でも、ただそれだけのことで、人類はまだ動物の仲間にすぎなかったんだ。世界を支配するなんてことは、まったくなかった。

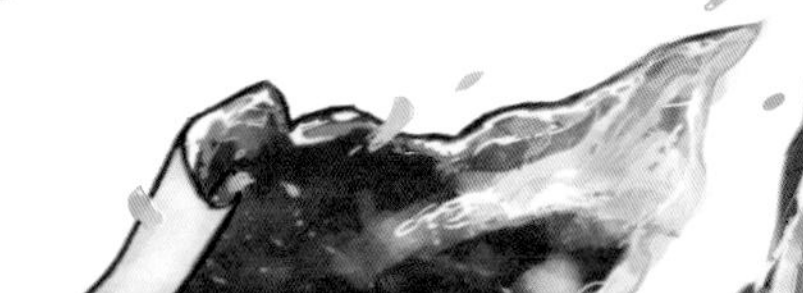

異なる種類の人類

今、世界で暮らしているたくさんの人々は、ほんの少しずつちがって見えるかもしれないし、ちがう言葉を話しているかもしれない。でも、じっさいにはみんな同じ種類の人類だ。中国に行ってもイタリアに行っても、グリーンランドに行っても南アフリカに行っても、どこでも同じ種類の人類に出会う。もちろん、中国とイタリアとグリーンランドと南アフリカで暮らす人には髪や肌の色にちがいもあるけれど、**肌の下の体はみんなとてもよく似ている**し、脳も、できることも、みんな同じようなものだ。中国の人がイタリア語を学ぶことも、グリーンランドの人が南アフリカの人とサッカーをすることも、みんながいっしょになって宇宙船を作ることもできる。

こうして世界じゅうのどこに行っても同じ種類

の人類がいるというのは、とっても不思議なことだ。だって、それぞれの国には異なる種類のアリやヘビやクマがいるんだからね。氷でおおわれたグリーンランドにいるのはホッキョクグマ、カナダの山にいるのはグリズリー、ルーマニアの森にいるのはヒグマ、そして中国の竹林にいるのはパンダだ。それならばなぜ、これらの場所にいる人類は、みんな同じ種類なのだろう？

じつは、この地球という惑星には、とても長いあいだ、たくさんの異なる種類の人類がいたんだ。世界のいろいろな場所では、それぞれに異なる動物、植物、気候を相手にしながら、暮らしていかなければならなかったからね。雪がたくさんつもった高い山の上にも、太陽の光がさんさんと降りそそぐ熱帯の海辺にも人が住んでいたし、砂漠で暮らす人たちもいれば、沼地で暮らす人たちもいた。そうやって100万年以上もの時がすぎていくうちに、人類はそれぞれの場所の異なる条件にうまくなじみ、だんだんに変化して、ちがいがどんどん大きくなっていった——クマたちと同じように。

それならなぜ、今ではすべての人類が同じ種類なのだろう？　ほかの種類の人類には、いったい何があったのかな？　じつは、おそろしく不幸なできごとが起きて、ほかの種類の人類が死にたえ、**私たちの種類の人類だけが生き残った**んだ。じゃあ、その不幸なできごとって、いったい何のこと？　それは人々があまり話したがらない大きな秘密だ。この秘密についてはあとで話すことにして、まずは大昔に世界の異なる場所で暮らしていた、ほかの種類の人類について知っておくことにしよう。

小型の人類の島

人類の仲間を探す旅で最初に出かけるのは、インドネシアの小さい島、フローレス島だ。およそ 100 万年前、フローレス島のまわりの海水面は今よりも低かった。そのころには、**今では海におおわれているたくさんの場所がまだ、かわいた陸地だった**から、フローレス島は近くの大きい島に、今よりもずっと近かったんだ。好奇心の強い一部の人たち、それからゾウのような大型の動物たちが、そうした陸地や浅瀬を通ってかんたんにこの島にわたることができた。ところが、やがて海水面が高くなり、人類もゾウもその島にとり残されて、もといた大きい島に戻ることができなくなってしまった。

フローレス島はとても小さい島で、食べるものがあまりなかった。たくさん食べなければ生きていけない最も大きい人たちと最も大きいゾウたちが、最初に命を落とした。でも、あまりたくさん食べなくてもすむ、もっと小さい人や動物たちは、なんとか生きのびることができた。小さいお父さんと小さいお母さんから生まれた赤ちゃんは、もっと小さかった。もちろん、生まれてくる赤ちゃんがみんな同じ大きさではなくて、ほかの赤ちゃんより小さい赤ちゃんもいれば、もっと小さい赤ちゃんもいた。まだ食べるものは少なかったので、そこでも生き残ったのは小さいほうの赤ちゃんだ。こうして世代をかさねるごとに、フローレス島では人間もゾウもどんどん小さくなっていき……**小型の人類と小型のゾウになった。**

人とゾウがだんだん小さくなっていった様子は、「進化」と呼ばれる変化の例だ。進化によって、フローレス島の小型の人類がどこからやってきたかを説明できるだけでなく、**あらゆる動物と植物がどこからやってきたか**を説明できる。そして、なぜキリンの首があんなに長いのか、なぜキツネはあんなに賢いのか、なぜスカンクがあんなにくさいにおいを出すのかも説明できるんだよ。

何頭ものキリンが競って木の葉を食べるとき、いちばん高い木の葉を食べることができるのは、いちばん首の長いキリンだね。そのキリンは、ほかのキリンたちよりたくさんの食べものを手に入れることができるから、たくさんの子が生まれ——その子どもたちの首も、お母さんに似て長い。たくさんのキツネがいっせいにえものを追うときには、いちばん賢いキツネが成功することが多い。そのために、より多くの子が生まれ、その子どもたちもまた賢い。そしてキツネがスカンクをつかまえようとするときには、いちばんくさいスカンクにはうんざりして、追いかけるのをやめるだろう——だからいちばんくさいにおいを出すスカンクは生きのびて、とびきりくさいにおいを出すスカンクの赤ちゃんが生まれる！

進化するには、たくさんの世代を経る必要があることをおぼえておこう。**スカンクがじっさいにくさいにおいを出せるようになるまでには、とっても長い年月がかかった**し、フローレス島の人類とゾウが小型になるまでにも、何千年もの時間がかかった。おとぎ話のように、ひと晩のうちに変わったわけではない。まほうの薬を飲むと、あっというまに小さくなるとか、まほう使いが呪文をとなえて「えいっ！」と声をかけると、王子さまがカエルになるとか……それはみんなお話の世界のことだ。ほんとうのところ、あまりにも長い時間がかかったから、その変化にはだれも気づかなかった。

人類やゾウの子が生まれるごとに、ほんの少しずつ小さくなっていっただけだ――そして 1000 年も生きた人はいないから、何が起きているかに気づく人はいなかった。

これは**大切な「生命の法則」**のひとつだ――だれも気づかないような小さな変化でも、時間がすぎるにつれてつみかさなると、大きな変化になる。進化だけではなく、そのほかにも自然のさまざまなところで同じことが起きているよ。かたい岩の上に水がポタポタ落ちているところを見ただけでは、岩のほうが水よりずっと強いと思えるかもしれないね。水はすぐに岩から流れ落ちてしまい、何も変わったことは起きないから。でももし 1000 年後に同じ場所に戻れるなら、水が岩にあけた深い穴が目に入るだろう。ひとしずくの水は、ほんのわずかなちがいしか生みださないとしても、そのしずくが 100 万回繰り返して落ちれば、根気よく落ちつづけた水は、かたい岩より強くなれる。

今度は、大きくなることについて考えてみよう。きみが鏡にうつる自分を見ても、自分が大きくなっていることはわからない。鏡の前に 1 時間ずっと立ちつづけ、じーっと自分の姿を見つめていても、やっぱり自分の背が高くなっているのや、髪の毛がのびているのに気づかない。毎朝、必ず鏡をのぞきこむようにしたところで、きっと昨日とそっくりの自分が見えるだけだろう。ところが 20 年たつと、きみはまったくちがう姿になっている。どうしてそんなことが起きるのかな？　特別な 1 日があって、まほうの薬を飲んで眠ると、目がさめたときおとなになっている？　そうではなくて、きみは毎日、少しずつ少しずつ変化しているんだね。そのわずかな変化が何年分もつみかさなって、やがておとなになる。

こうやって私たちは大きくなっていく。こうやって水が岩に穴をあけられる。フローレス島の人類が小型になったのも同じことだ。ゆっくり、ゆっくり、1 歩ずつ、変わっていった。

小型の人類は長いあいだフローレス島に住んでいたけれど、不幸なできごとが起きて別のすべての種類の人類が死にたえたときに、やはりすべて死んでしまった。だから最近まで、**その人たちがいたことをだれも知らなかった**。いや、ほとんどだれも知らなかったと言ったほうがいいだろう。フローレス島の一部の人たちは、むかしむかしジャングルの奥深くに暮らしていた小さい人たちの物語を、語りついでいたからだ。島の人々はこの小さい人たちを「エブゴゴ」と呼び、それは「なんでも食べるおばあちゃん」という意味なんだって。物語に登場する小さい人たちは、それこそなんでも食べる！　でもたいていの人たちはその物語をただのおとぎ話だと思って、気にもとめていなかった。

その後、今世紀のはじめごろに、考古学者たちがフローレス島の洞窟のなかで発掘をはじめた。考古学者というのは、いろいろな場所の地面を掘って、遠い昔の暮らしや文化の手がかりを探している科学者のことだ。するとフローレス島のその洞窟からは、とても興味深いものが見つかった。とてもとても古い石の道具、たき火のあと、ゾウの骨、それからいくつかの小さい人間の骨で、その人たちは5万年以上も前にこの島で暮らしていたらしい。

考古学者たちははじめ、見つかったのは子どもの骨だと思ったけれど、やがておとなの骨であることがはっきりした。どうやら「エブゴゴ」はおとぎ話なんかではなかったらしいね！　**むかしむかし、フローレス島では、小型の人類が暮らしていた。**その大昔の人類は、身長が1メートルほど、体重が25キログラムほどだった。それでもその人たちは道具の使い方を知っていて、小型のゾウの狩りまでしていた。

人類の仲間たち

こうやって、フローレス島で暮らした人類は小型になった。一方、ヨーロッパとアジアのいろいろな場所で、また別の種類の人類が進化していた。その人たちが暮らしていた場所はとても寒かったから、その人類はとりわけ寒い気候に適応するようになった。つまり、寒さのなかでもうまく生きていけるようになった。科学者はその人たちを「ネアンデル谷の人々」と名づけ、短く「ネアンデルタール人」と呼んでいる。はじめて見つかったのがドイツにあるネアンデル谷の洞窟だったからだ。ネアンデルタール人の背の高さは、私たちとだいたい同じくらいだったけれど、私たちよりもずっと重くて、はるかに強かった。それに私たちよりも大きい脳をもっていた。

ネアンデルタール人は、その大きい脳で何をしていたのかな？　自動車や飛行機を作ったわけではないし、本も書かなかった。でも道具と装飾品を作り、そのほかにもいろいろなものをたくさん作っていたようなんだ。もしかしたら、私たちよりも鳥の鳴き声を聞き分けたり、動物のあとを追ったりするのが得意で、踊ったり夢を見たりするのも得意だったかもしれないね。たぶん……もしかしたらそうだったかもしれないし、そうではなかったかもしれない。今となっては、もうだれにもわからない。

過去については、わからないことがたくさんあって、もし何かがわからなければ、**「わからない」と言うのがいつでもいちばんよい答えになる**。科学の世界では、「わからない」と言うことはとくに大切で、それがはじめの1歩だ。なぜなら、自分には何かがわからないと認めると、その答えを探しはじめることができるからね。自分はもう何でも知っていると自慢するほどなら、わざわざ手間をかけて答えを探す必要はない。

2008年には、考古学者たちがまた別の、驚くべき発見をした。シベリアのデニソワ洞窟で、大昔の人の指の骨を見つけたんだ。それは、およそ5万年前にそこで暮らしていた女の子の小指の骨だった。

考古学者たちがその骨をくわしく調べてみると、この女の子は、まだ知られていなかった種類の人類だということがわかった。その子はネアンデルタール人でも、フローレス島の小型の人類でもなく、また私たちとも大きく異なっていたんだ。そこで考古学者はその女の子と親類たちを、指の骨が見つかった洞窟にちなんで「デニソワ人」と名づけた。

この指のもち主が、まだ知られていなかった種類の人類で、たとえばネアンデルタール人でもないことが、どうしてわかるのか不思議に思うかもしれないね。種あかしをしよう。私たちの体のそれぞれの部分は、とても小さいたくさんの「細胞」でできていて、それらが集まって鼻や心臓や指を作っている。そしてその細胞の1つひとつには、とても小さな「指示書」が入っていて、細胞に何をするべきかを教えているんだよ。この指示書は、ある細胞には鼻になるように、また別の細胞には指になるようにと伝える。口のなかに出てくる唾にも、骨にも、毛根にも、この指示書のコピーが入っている――これがないと、きみの体のそれぞれの部分が、何をすればいいのかわからなくなってしまうからね。

この指示書は、DNAと呼ばれている。DNAを肉眼で見ることはできないけれど、唾を1滴、骨をひとかけら、髪の毛を少しだけ、とっても強力な顕微鏡で覗いてみると、細胞のなかで丸まっているのがはっきりわかるだろう。そして特別な道具をすべてそろえて、きちんと使えば、DNAのなかで暗号になって並んでいる指示を読み取ることもできる。肌の色が濃い人のDNAを読み取ると、肌の色を濃くする指示が見つかる。肌の色が薄い人のDNAには、肌の色を薄くする指示が含まれている。

だから、だれかのDNAのコピーを1個でも手に入れられれば、たくさんのことがわかる。その人が大昔に暮らしていた人でも同じことだ！　だれかが死んだとしても、**その人のDNAは数千年にわたって生き残ることがあり**、とくに寒くて乾燥した場所なら残りやすい。

シベリアのデニソワ洞窟は、とても寒くて、とても乾燥している。考古学者たちがそこで見つけた指の骨を調べた結果、うまくDNAを取りだすことができて、その暗号を読み取ることに成功した。するとそれは、これまでにわかっているどの系統の人類のDNAにも似ていなかった。だから5万年前にデニソワ洞窟で暮らしていた人たちは、私たちとも、ネアンデルタール人とも、フローレス島の小型の人類ともちがう、未知の種類の人類に属していることがわかったというわけだ。

遠い未来のいつかを想像してみてほしい。そのころには人類は地球上からすっかり姿を消し、世界はとびきり頭のいいネズミによって支配されているとしよう。ある日、ネズミの考古学者がどこかの洞窟で土を掘り返しているうちに、きみの指を見つけるかもしれない！　するときみの指を調べるだけで、ネズミたちには人類がかつて地球上で暮らしていたことがわかるだろう。だから、自分の指はしっかり手入れしておこう。

小型の人とネアンデルタール人とデニソワ人のほかにも、**大昔にはたくさんの種類の人類が地球上で暮らしていた**。けれども、骨や道具はあまり残っていないし、骨のDNAをすべて読み取れるわけではないから、そういった人々のことはほとんどわかっていない。

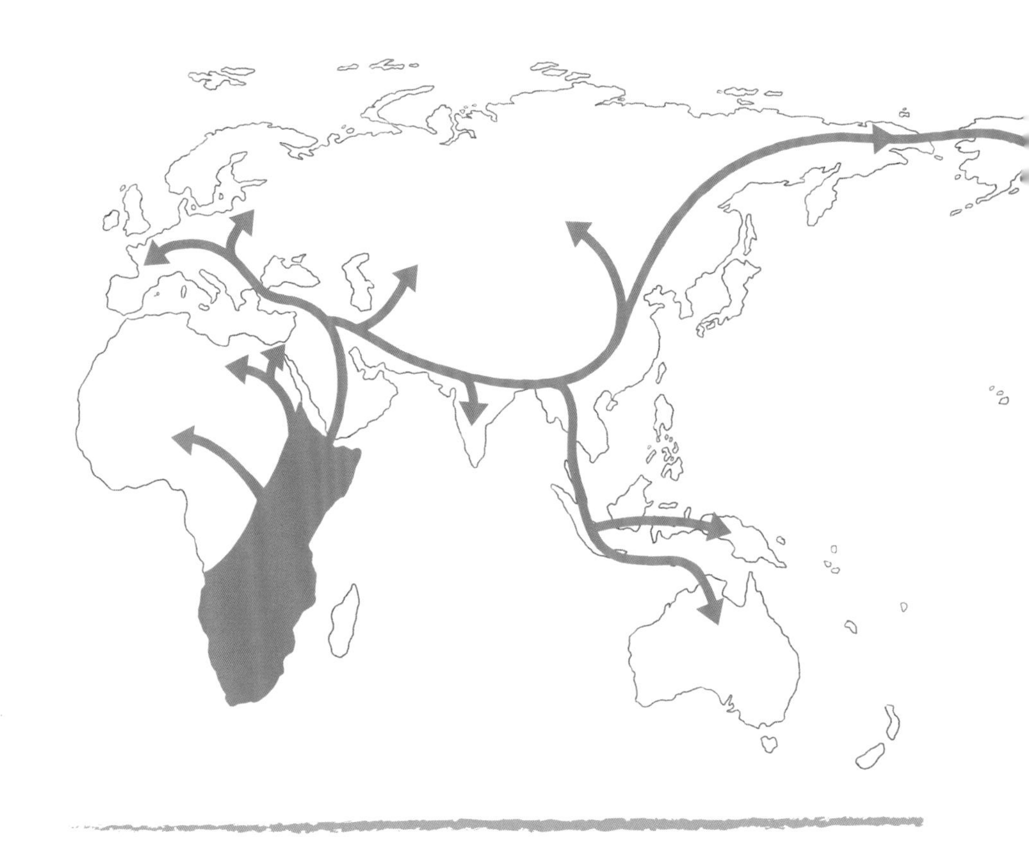

きみは どの種類の人類？

けれども、大昔の人類のなかの１種類についてだけは、とてもたくさんのことがわかっている。それは私たちの祖先で、私たちのひいひいひい……おばあちゃんや、ひいひいひい……おじいちゃんのことだ。小型の人がフローレス島で、ネアンデルタール人がヨーロッパで、デニソワ人がシベリアの洞窟で暮らしていたころ、私たちの

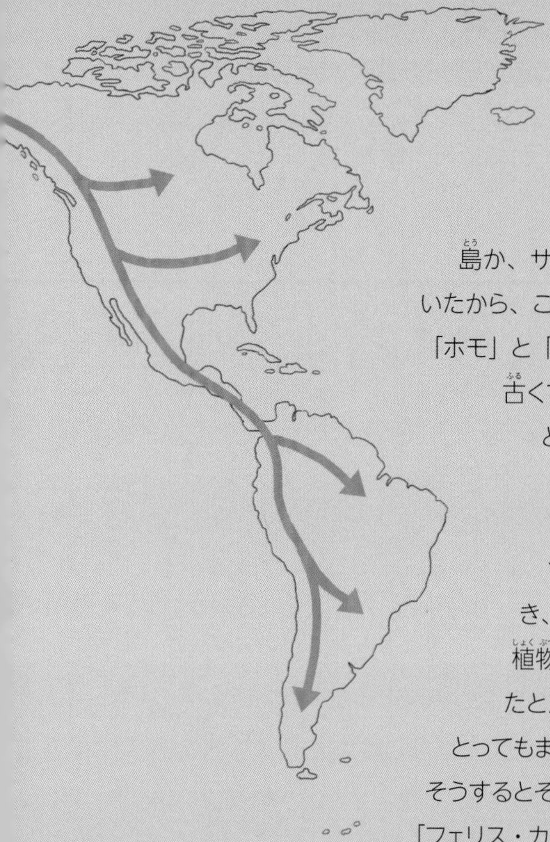

祖先はおもにアフリカで暮らしていた。

科学者たちは私たちの祖先を「ホモ・サピエンス」と呼んでいる。短く「サピエンス」と呼ぶこともある。私たちの祖先がサピエンス島か、サピエンス谷か、サピエンス洞窟に住んでいたから、こう呼ばれているのかな？　そうではない。「ホモ」と「サピエンス」はラテン語だ。ラテン語は古くて複雑な言語で、今では話している人はどこにもいない。ラテン語は古くて複雑だから、ほとんどまほうのような響きをもっている。そこで科学者たちは、何かがとても大切なものに聞こえるようにしたいとき、ラテン語の名前をつける。病気、薬、植物、動物の名前がそうだ。

たとえば、科学者がネコについて話すとき、とってもまじめな話に聞こえるようにしたいとしよう。そうするとその科学者はネコを「ネコ」とは呼ばず、「フェリス・カトゥス」と呼ぶ。それはラテン語で、「抜け目のないネコ」という意味になる。そしてネズミのことは「ムス・ムスクルス」と呼び、これはラテン語で「ネズミらしいネズミ」という意味だ。もしも本に、「抜け目のないネコがネズミらしいネズミを追いかける」と書いてあれば、それは子どもむけの本に見えるね。でも、「フェリス・カトゥスはムス・ムスクルスを追う」とあれば、とてもまじめな科学の本に思えるにちがいない。

異なる種類の人類にもすべて、それぞれに風変わりなラテン語の名前がつけられている。科学者がネアンデルタール人について語るとき、とてもまじめで重要な話に聞こえるようにしたいと思えば、ネアンデルタール人ではなく「ホモ・ネアンデルターレンシス」と呼ぶ。ラテン語で**ホモは「ヒト」という意味**、そして「ネアンデルターレンシス」は「ネアンデル谷出身の」という意味だから、あわせると「ネアンデル谷出身のヒト」ということになる。また科学者がフローレス島の小型の人類について語るときには、きっと「小型の人類」とは呼ばない。それでは単純すぎる！　そのかわりに「ホモ・フローレシエンシス」と呼び、それは「フローレス島出身のヒト」という意味だ。

科学者は、自分たちの種類の人類にも、もちろんとてもりっぱなラテン語の名前を選び、「ホモ・サピエンス」とした。どんな意味かって？　ラテン語で**「サピエンス」は「賢い」という意味**だ。つまり、「ホモ・サピエンス」は「賢いヒト」を意味している。

私たちは自分自身を「賢いヒト」と呼ぶことに決めたわけだが、あまりひかえめな選択とは言えないね。なにしろ、私たち「サピエンス」が、じっさいにほかの人類より賢いかどうか、まったくわからないのだから。それでもとにかく、私たちの名前はサピエンスということになっている。**きみはサピエンス**で、きみの友だちも、きみの親類も、みんなサピエンスだ。今では、世界じゅうで暮らすすべての人がサピエンスで、ドイツ人もサピエンス、ナイジェリア人もサピエンス、韓国人もサピエンス、ブラジル人もサピエンスなんだ。

今からおよそ10万年前、私たちサピエンスの祖先はおもにアフリカで暮らしていた。**その人たちの姿はすでに、現在の私たちにそっくりだった。**少なくとも、その人たちが髪の毛をきれいに切りそろえ、身につけていた動物の皮をぬいでジーンズとTシャツを着れば、そっくりに見えただろう。でも大昔のサピエンスは、まだ私たちとは大きく異なっていた。

ほかのすべての人類と同じように、サピエンスもすでに火と、石の道具をもっていたから、ライオンを遠ざけることができ、いくつかの大型の動物を殺すこともできた。それでもまだムギの種子をまく方法もウマに乗る方法も、馬車や船を作る方法も知らなかったし、村にも、もちろん大きな町にも住んではいなかった。それに人数もそれほど多かったわけではない。アフリカ全体で、サピエンスの数はおそらく10万人にたりないくらいだっただろう。**全員が、巨大なサッカースタジアムの観客席にちゃんと座れてしまう**くらいの人数だ。そのころは——まだ——サピエンスがこの地球上で最も有力な動物ではなかった。おそらく有力だったのはクジラか……アリだ。

特別な力をもったサピエンスの登場

その後、今からおよそ5万年前ごろに、何もかもが変わった。この地球という惑星に災難がふりかかり、フローレス島の小型の人も、ネアンデルタール人も、デニソワ人も、そのほかのすべての種類の人類も――サピエンスを除いて――すっかり死にたえてしまったんだ。その災難とは、いったい何だろう？　宇宙からやってきた小惑星ではないし、巨大な火山の噴火でもない。巨大な地震でもない。そのどれでもなくて……その災難というのは、私たちのひいひいひい……おじいちゃんとひいひいひい……おばあちゃんたち、つまり、私たちの遠い祖先だった。

およそ5万年前に、**私たちの祖先に何かとても不思議なことが起きて**、驚くほど強くなった。いったい何が起きたのか知りたいと思うかもしれないね。それはほんとうに興味深いことだ。でもくわしくはあとで説明する。おもしろい探偵小説のように、謎の真相を知りたければ、つづきを読まなくてはいけない。今のところは、信じられないような結果だけを伝えておくことにしよう。サピエンスが世界じゅうに広がりはじめ、サピエンスが新しい谷や島にたどり着くと、必ず、またたくまに、そこで暮らしていた別の種類の人類がすべていなくなった！

たとえば、新たに特別な力をもったサピエンスがヨーロッパにたどり着くと、そこにあった洋ナシを残らずつみとり、ベリーを食べつくし、シカをみな狩りつくした。つまり、**その土地に前から住んでいたネアンデルタール人には食べものが何も残らなかった**。そのせいで、おなかをすかして死んでいった。もしもサピエンスが食べものを根こそぎもっていくのを見て、それを止めようとしたネアンデルタール人がいたら、サピエンスに殺されてしまっただろう。

その後、私たちの祖先はシベリアへと歩みを進め、デニソワ人からあらゆる食べものをうばいとった。フローレス島にたどり着くと……もうきみたちが知っているとおり、小型の人類はひとり残らず、そして小型のゾウも1頭残らず、姿を消してしまった。そして、**ほかの人類がだれもいなくなっても**、私たちの祖先はまだ満足しなかった。ホモ・サピエンスは今や、とてつもなく強くなったわけだが、それでも、もっと強い力、もっとたくさんの食べものがほしいと考えて、ときにはサピエンスどうしでけんかまでするようになった。

家族のなかのネアンデルタール人

これでわかっただろうが、私たちサピエンスは、あまりやさしい動物ではないんだ。私たちは、ただ肌の色がちがうからとか、自分とはちがう言葉を話すからとか、ちがう神さまを信じているからというだけで、別のサピエンスに対してつらくあたることもある。だから、私たちサピエンスの祖先が、たとえばネアンデルタール人のようにまったく異なる種類の人類に出会ったときにも、たぶんあまり親切にはしなかったんだろう。

それでも、私たちサピエンスの祖先の少なくとも一部は、出会った別の人類のすべてを殺したり飢え死にさせたりしたわけではないことが、最近わかってきた。きみはあのDNAをおぼえているだろうか。私たちの体のそれぞれの部分の指示書のことだ。このDNAを調べると、その人の髪の色や指のかたちだけでなく、両親がだれなのかもわかり、さらにその両親の両親、そのまた両親と、何千年も前まで親をたどることができる。それは、**きみのDNAはきみの両親からもらった**ものだからで、きみの両親はまたその両親からもらい、その両親はまたその両親からもらった。

科学者たちがネアンデルタール人のDNAに書かれていた暗号を読み取りはじめると、驚くようなことがわかった。現在、この世界で生きている人のなかに、大昔のネアンデルタール人のDNAに含まれていた暗号の一部を受けついでいる人がいる！　つまり、今の世界で生きている人たちはみんなサピエンスだけれど、少なくともその一部には、ひいひいひい……おばあちゃんや、ひいひいひい……おじいちゃんがネアンデルタール人だという人もいるということだね。

きみの祖先にネアンデルタール人がいるかどうかは、かんたんに調べることができる。ただ試験管に唾を少しだけ入れて、研究所に送ればいい。**きみの唾の1滴のなかには、きみのDNAのコピーが何百万も含まれている。**研究所はきみの唾をよく調べてDNAを読み取り、その一部に5万年前のひいひいひい……おばあちゃんのパートナーだったネアンデルタール人から受けついだものがあるかどうかを教えてくれるだろう。

でもなぜ、きみのひいひいひい……おばあちゃんは、ネアンデルタール人のひいひいひい……おじいちゃんをパートナーに選んだのかな？　もちろん、はっきりしたことはわからないけれど、**たぶんふたりは恋に落ちて**、まわりの友だちが笑ったり、ネアンデルタール人とはデートしないほうがいいと忠告したりしても、愛の力で乗りこえたんだろうね。

さもなければ、身よりがみんな死んでひとりぼっちになってしまったネアンデルタール人の赤ちゃんを、サピエンスの人たちが引き取って育て、仲間に入れたのかもしれない。あるいは、何人かのサピエンスがネアンデルタール人の女の子をつかまえて、本人がもとの仲間のところに戻りたいと言っても、無理やりいっしょに連れていったのかもしれない。もしも若いネアンデルタール人がこんなふうにしてサピエンスにまじっておとなになれば、サピエンスのパートナーとのあいだに子どもが生まれるかもしれない。でもそんなできごとは、めったに起きなかったらしい。ほとんどの場合、私たちの祖先は出会ったネアンデルタール人を、ひとり残らず追い払ってしまったみたいだ。

もしも……?

もしも私たちの祖先がもっとやさしくて、ネアンデルタール人やフローレス島の小型の人類がそのまま暮らしつづけて発展していくのを見守っていたとしたら、世界はどうなっていたのかな？　こんなふうに想像するのは楽しいね。これらの別の人類の仲間が、もし今もまだ私たちとともに生きていたら、どんな様子が見られるだろうか。

もしかしたら学校の陸上部に、とてもたくましいネアンデルタール人の子が何人かいるかもしれない。となりの家にはフローレス島から移住してきた小型の人類の一家が暮らしているかもしれない。政治と宗教はどうだろう。デニソワ人も選挙で投票できるだろうか。神父たちはネアンデルタール人とサピエンスの結婚を祝福するだろうか。ネアンデルタール人も、（キリスト教の）司祭、（ユダヤ教の）ラビ、（イスラム教の）イマームという指導者になれるだろうか。

ネアンデルタール人と友だちになるのはどうかな？

もし別の人類の仲間も、私たちといっしょに暮らしていたなら、私たちが自分を見る目も変わっていたかもしれない。今ではほとんどの人が、自分たちはとても、とても、特別な生きものだと考えている。もしもきみがそういう人たちに、**人類だって動物だ**よ、と伝えようとすると、たいていは本気で腹を立ててしまうだろう。それは、自分たちが動物とはまったくちがうと思っているからだ。

人々がそう考えるのは、その昔にほかの種類の人類がすっかり姿を消してしまったために、この地球上のどこにも、私たちのような生きものがいなくなったからかもしれない。私たちサピエンスが、ほかの動物と同じではないと考えるのはかんたんだった。でも、もしネアンデルタール人やフローレス島の小型の人類が生きのびているなら、私たちが自分たちだけを特別な生きものだと考えるのは、ずっと難しかったんじゃないだろうか。私たちの祖先が人類のほかの仲間たちをすっかり追い払ってしまった理由は、そこにあったのかもしれない。

でも、私たちの祖先はどうやって、ほかの人類を打ち負かすことができたのだろう。ネアンデルタール人のほうが私たちの祖先より強かったし、デニソワ人のほうが寒い場所によく適応していたし、フローレス島の小型の人類のほうが少ない食べもので生きられた……それなのに私たちの祖先は、ついにこの地球という惑星のすべてを勝ちとった。私たちの祖先がもっていたスーパーパワー、とてつもなく強い力というのは、いったい何だろう？

第2章

サピエンスのスーパーパワー

バナナの冒険

さて、きみはどう思う？　5万年前に、いったい何が起きたんだろうね。サピエンスはどんなスーパーパワーを手にして、現在のように地球を支配できるようになったのかな。その答えは、はっきりわかっているわけではない。スーパーマン、スパイダーマン、ワンダーウーマン、そのほかの漫画のスーパーヒーローたちは、みんなとても強くて、速くて、勇敢だから、大きな力を発揮する。でもサピエンスはネアンデルタール人より――ついでに言えば、ほかの多くの動物たちより――強くも、速くも、勇敢でもない。オオカミやワニと戦っても、あるいはチンパンジーと戦ったとしても、サピエンスにほとんど勝ち目はないだろう。年をとったおばあちゃんチンパンジーでさえ、サピエンスのボクシング世界チャンピオンをやっつけることができるはずだ。

私たちがオオカミを追い払ったり、チンパンジーを動物園に閉じこめたりできるのは、**とてもたくさんの人数で力をあわせる**からなんだ。ひとりの人間は1匹のチンパンジーに勝てなくても、人間が1000人集まると、チンパンジーが夢にも思わないような、とてつもないことを成しとげられる。そのうえ私たち人類には、ほかの動物たちよりじょうずに力をあわせられるという、秘密のスーパーパワーがあるおかげだ。私たちはまったく知らない人とでも、力をあわせることができる。

きみがよく食べるくだものについて考えてみよう。たとえばバナナだ。そのバナナは、どこからやってきたのかな？　きみがチンパンジーだったら、自分で森に行き、自分で木からバナナをもぎとらなくてはいけない。でもきみは人間だから、**たいていは知らない人の助けを借りている**。自分が食べるバナナを自分で木からもいでいる人は、ほとんどいないだろうね。そしてたいていは、これまでに一度も会ったことがないし、これからだって一度も会うこともない人が、何千キロメートルも離れた場所でそのバナナを育てたんだ。それからまた別の知らない人が、それをトラックや列車や船にのせて、きみの家の近くのお店まで運んだ。そしてきみがそのお店に行き、バナナを選び、レジにもっていき、お金を払った。そうやって、きみはきみのバナナを手に入れた。

きみが買う前に、いったい何人の人たちがそのバナナにさわったかな。きみはそのうちの何人と親しい知り合いかな。よく知っている人はひとりもいないだろう……それでも、その人たちはきみがバナナを手に入れるのを手伝ってくれたよね。

もうひとつ、学校について考えてみよう。学校を作るには何人の人が必要だろうか。まずはたくさんの子どもたちだ。子どもがいないと学校にならないからね。**きみの学校には子どもが何人いる？**　それから先生もいなくちゃならない。きみの学校には何人の先生がいるか数えてみよう。それに学校の建物を建てた人、掃除をする人、毎日の給食を作る人、教室の電気がつくように発電の仕事をしている人、ぜんぶの科目の教科書を書いた人と印刷した人、そのほかにもたくさんの人たちがいる。すっかり数えると、学校を作るのに加わっている人は何人になったかな？　**そしてそのうちで、きみがよく知っている人は何人いるかな？**

人類が成しとげためざましい仕事、たとえば月まで飛んでいくようなことは、すべて**何十万人もの人たちが力をあわせた**結果だ。1969 年に人類ではじめて月面の土を踏んだのは、ニール・アームストロング船長だった。アームストロング船長は月まで宇宙船で飛んでいった。でも、自分でその宇宙船を作ったわけではない。

数えきれないほどたくさんの人々が、力をあわせて宇宙船を作り上げたんだ。

鉱山で働く人たちが地面から鉄を掘りだし、エンジニアが設計を引きうけ、数学者が月まで行く最適なコースを計算した。さらに、アームストロング船長が月面を歩けるような特別な靴を作った靴職人がいて、宇宙飛行士が宇宙で食べられるようにバナナを育てた農場の人たちもいた。

ワシが空を飛べるのは、翼をもっているからだ。でも人類が飛べるのは、多くの人々が力をあわせる方法を知っているからなんだよ。**そのおかげで、私たちはとても大きな力を手にしている。**バナナを食べたり、学校を作りあげたり、月まで飛んでいったりするのに、何千人もの見知らぬ人たちが力をあわせられるんだからね。チンパンジーにはできないことだ。チンパンジーには、地球の裏側で育ったバナナを買えるお店はない。何百匹もの小さいチンパンジーがいっしょに勉強する学校もない。それに、どこかに飛んでいくこともできない。もちろん、月までは行けない。

チンパンジーにそういうことができないのは、ほんのわずかな仲間のあいだでだけ、力をあわせているからだ。チンパンジーが、仲間ではないチンパンジーと力をあわせることはほとんどない。たとえば私もきみもチンパンジーだとすると、私がきみと力をあわせたければ、ふだんからきみのことをよく知っていなくちゃならない。きみはどんなチンパンジーなのか、やさしいのか意地悪なのか、頼りになるのか。こうしてきみのことをよく知らなければ、力をあわせることなんかできないわけだ。

きみがよく知っている人をノートに順番に書いていくと、そこには何人の名前が並ぶだろうか。テレビで見て知っている人や、パソコンやタブレットの画面だけで見たことのある人の名前は、書いてはいけない。ときどきは直接に顔を見て、会っている人の名前だけだ。**きみのことを知っている人**——そしてきみもその人のことを知っている、そんな人たちの名前だけがノートに並ぶはずだよ。きみが吹雪にまきこまれて動けなくなったら、クマに木の上まで追いつめられたら、だれが助けにきてくれそうかな？

そうやって名前を並べると、**たいていの人がノートに書く人数は150人より少ない**。科学者たちがたくさんの人に頼んで、よく知っている人の名前を書いてもらったところ、人間はもともと、およそ150人より多くの人たちとは、仲間としての強いつながりをもてないことがわかった。

つぎに、1日に出会う人をぜんぶ数えてみよう。道を歩いていてすれちがう人も、みんな数える。同じバスに乗る人も、いっしょに学校に行く人もみんな。同じお店で買い物をする人も、いっしょにサッカーの試合を見にいく人もみんな。ぜんぶで何人

になると思う？

　ロンドンや東京のように大きい都市に住んでいるなら、たぶん何千人にもなるだろう。びっくりするような数だと思わないか？　きみがよく知っている人は 150 人だとしても、大きいショッピングモールやスタジアムや駅に行くたびに、何千人もの知らない人と出会っているなんてね。そういう場所に何千匹ものチンパンジーを集めようとすると、めちゃくちゃな大騒ぎになってしまう。でも何千人かの人間は毎日そういう場所に集まり、たいていはみんなが、きちんとした行動をとっている。

　サピエンスの祖先がネアンデルタール人をやっつけた方法は、それだ。ネアンデルタール人だけでなく、何万年か前にサピエンス以外のすべての人類をやっつけた方法になる。私たちのひいひいひい……おじいちゃんたちは、よく知らない人も加えて、とてもたくさんの人数で力をあわせる方法を知っていたけれど、ほかの人類はそれを知らなかったんだね。より多くの人々が力をあわせたから、道具を作ったり、食べものを見つけたり、傷をなおしたりする方法に、より多くの考えが集まった。

ネアンデルタール人はわずかな人数の仲よしの友だちや、親類の人たちだけから、いろいろなことを教わったり、助けてもらったりしていた。でもサピエンスは、よく知らないたくさんの人たちを頼りにすることができた。だから、ひとりのサピエンスはひとりのネアンデルタール人より、いろいろなことをうまくできなかったとしても、長い時間がたつとサピエンスのほうが、ずっとじょうずに道具を考えだしたり狩りをしたりできるようになったんだ。そして争いが起きると、500人のサピエンスは50人のネアンデルタール人をかんたんに打ち負かすことができた。

なぜ、アリには女王がいるのに法律家はいないの？

とてもたくさんの仲間が力をあわせられるサピエンス以外の動物は、アリ、ミツバチ、シロアリなどの「社会的昆虫」だけだ。私たちが村や町で暮らしているように、アリやミツバチもコロニー（群れ）で暮らし、そこには何千匹もの仲間が集まっていることがある。何千匹ものアリが力をあわせて、食べものを見つけ、子どもの世話をし、橋を作り、戦争をする。

それでも**サピエンスとアリには、大きなちがいがひとつある**。アリはサピエンスとはちがって、自分たちがまとまる方法を、ひとつだけしか知らないんだ。たとえば、シュウカクアリと呼ばれているアリを観察してみよう。世界のどこにあるシュウカクアリのコロニーでも、じっと見ていると、それぞれのコロニーがみんなまったく同じ方法でまとまっていることに気づくだろう。どのコロニーも、調達アリ、建設アリ、兵隊アリ、看護アリ、女王アリの5つのグループにわかれている。

調達アリは、穀物の粒を集めたり小さい昆虫を捕らえたりするために出かけ、それらを食べものとしてコロニーにもち帰る。建設アリはトンネルを掘ってコロニーのすみかを建設する。兵隊アリはコロニーを守り、ほかのアリの軍隊と戦う。看護アリは赤ちゃんアリの世話をする。そして女王アリはコロニーを統治し、卵を産んで赤ちゃんアリを増やす。

これらのアリは、自分たちがまとまる方法をこれだけしか知らない。**自分たちの女王に逆らうことはぜったいにない**し、大統領を選ぶ選挙をはじめることもない。建築アリと調達アリが、給料をあげてほしいといってストライキをすることはない。兵隊アリがとなりのコロニーと平和条約に調印することもない。看護アリが仕事をほうりだして、法律家や彫刻家やオペラ歌手になることもない。それに、新しい食べものや新しい武器、たとえばテニスみたいな新しい競技を考えだすこともない。シュウカクアリの暮らしぶりは、今も数千年前も、まったく同じだ。

アリとはまったくちがい、私たちサピエンスはおたがいに力をあわせる方法をたえず変えている。私たちは新しい競技を考えだし、新しい洋服をデザインし、新しい仕事を作りだし、政治革命もたくさん引き起こしてきた。300年前の人たちは弓矢で的をねらう遊びを楽しんでいたけれど、今の私たちはコンピューターゲームで最高得点を競っている。300年前には、大半の人たちが農業を営んでいた。今の私たちは、バスの運転手、イヌの毛をカットして整えるトリマー、コンピュータープログラマー、パーソナルトレーナーなどの仕事をしている。300年前には、多くの国が王と女王に統治されていた。今では、多くの国が議会と大統領によって統治されている。

だから私たちサピエンスが世界を勝ちとることができたのは、アリのようにとてもたくさんの数で力をあわせることができるだけでなく、力をあわせる方法をたえず変えることができるからだ。それは私たちが新しいことを生みだすのに役立つからね。**それが私たちのスーパーパワーだろうか？**　じつは、そうとも言いきれない。私たちだけがもつサピエンスのスーパーパワーを理解するためには、最後の質問について考える必要がある――そもそも私たちの祖先は、どうやって、たくさんの人数で力をあわせることができるようになったんだろう？　そして私たちはどうやって、自分たちの行動をたえず変えられるようになったんだろう？　これに対する答えが、私たちのほんとうのスーパーパワーだ。きみは、何だと思う？

ゾンビ、吸血鬼、妖精

　ほんとうのところ、その答えはきみをちょっとだけがっかりさせるかもしれない。「スーパーパワー」と聞くと、人の心を読めるとか、未来がわかるとか、透明人間になるとか、そういう力を期待するんじゃないかな？　でもね、人間は人の心を読めないし、未来もわからないし、透明にもなれない。だから、そのどれでもあるはずがない。私たちのスーパーパワーは、私たち全員がもっているもののはずだ。そうだろう？

　私たちのスーパーパワーはじつはみんながいつも使っているもので、ただそれがスーパーパワーだとは思っていないだけなんだ。それが弱みとさえ思っている人も多い。それは――さあ、用意はいいかな？――じっさいにはないことを**考えだす力**、あらゆる種類の空想上の物語を語る力だ。伝説、おとぎ話、神話を作りだせる動物、そしてそれを信じられる動物は、私たちしかいない。

　もちろんほかの動物も、おたがいに考えを伝えあうことはできる。ライオンが近づいていることに気づいたチンパンジーは、「気をつけろ！　ライオンがやってくる！」と

(チンパンジーの言葉で) 叫ぶことができるんだ。すると、あたりのチンパンジーがいっせいに逃げだす。さもなければチンパンジーがバナナを見かけ、チンパンジーの言葉で、「見ろ、あそこにバナナがあるぞ！　みんなでとりに行こう！」と言うこともあるだろう。でもチンパンジーは、自分が見たことも味わったこともさわったこともないもの——たとえばユニコーンやゾンビ——を、考えだすことはできない。

私たちサピエンスももちろん、チンパンジーと同じように、自分が見ているもの、触れているもの、味わっているものを、言葉を用いて表現できる。でもサピエンスは、妖精や吸血鬼といった、じっさいにはないものについての物語も作りだせるんだ。ネアンデルタール人にも、それはできなかった。

では、サピエンスはどうやってこの奇妙な力を手に入れたのだろうか。はっきりしたことはわかっていない。ひとつの説明として、サピエンスのDNAに入っている指示書が、何かのまちがいで変化してしまったというものがある。もしかしたら、それまで完全にわかれていた脳のふたつの部分が、つながりはじめたのかもしれない。もしかしたらこのまちがいによって、サピエンスの脳がとっても不思議な物語を生みだしはじめたのかもしれない。**まちがいはときに、みごとな新しいものを生みだせる。**そしてこのまちがいは、ネアンデルタール人の指示書では起きなかったから、ネアンデルタール人は物語を作りだしたり信じたりすることはできなかった。

もしかしたらそうかもしれないし……もしかしたらそうではないかもしれない。科学者たちはまだ、この疑問について調べつづけている。

でもほんとうに大切な質問は、サピエンスがどうやって物語を作る力を手にしたかではなくて、物語を作ることが何の役に立つかだ。そして、なぜこれをスーパーパワ

ーと呼ぶかなんだ。サピエンスがおとぎ話を作りだせて、ネアンデルタール人が作りだせなかったことで、何が起きたんだろう？　**野生のままの森で、おとぎ話がいったいどんな役に立つのか？**　魔人のジニーがびんから出てきて、何かひとつ特別な力をあげると言ったら、透明人間になる力とおとぎ話を作れる力、どっちを選ぶ？

それどころかきみは、おとぎ話なんかを信じるのが問題だって思うかもしれないね。もしも、サピエンスは想像のなかの妖精とユニコーンと霊を探しに森へ行き、一方のネアンデルタール人はほんもののシカと木の実とキノコを探しに森へ行ったのだとしたら、ネアンデルタール人のほうがうまく生き残れそうな気がしないだろうか？

では物語の役に立つところは何かというと、それがどんなにおかしな話でも、たくさんの人が力をあわせるのを後押しする点だ。もし何千人もの人々が同じ物語を信じるなら、その人たちは同じ規則に従うようになり、そうすればみんなが効果的に力をあわせられる。はじめて会う人とでも大丈夫。物語のおかげで、サピエンスはネアンデルタール人やチンパンジーやアリよりも、ずっとしっかり力をあわせられた。

偉大なるライオンの霊

たとえば、ひとりのサピエンスがみんなに、つぎのような物語を語るとしよう。「偉大なるライオンの霊が雲の上で暮らしていらっしゃる。偉大なるライオンの霊の言いつけを守れば、死んだあとには霊の国へ行って、好きなだけバナナを食べることができるであろう。でも偉大なるライオンの霊の言いつけを守らなければ、大きなラ

イオンがやってきて、お前を食べてしまうぞ！」

もちろん、この物語はほんとうのことではない。でも1000人の人たちがこれを信じるなら、その人たちはみんな物語の言うとおりにしはじめる。そうすれば、たとえ知り合いどうしではなくても、1000人がかんたんに力をあわせられる。

もしきみが、「偉大なるライオンの霊は、みんなに片足で立ってほしいとおっしゃっているぞ」と伝えれば、**1000人の人々がみんな片足で立つ！**

もしきみが、「偉大なるライオンの霊は、みんなが頭に空っぽのココナツの殻をかぶったところを見たいとおっしゃっている」と伝えれば、1000人の人々がみんな頭にココナツの殻をかぶるだろう！（この方法を使うと、偉大なるライオンの霊を信じている人と信じていない人をかんたんに見分けられるから、とても役に立つね。）

もしきみが、偉大なるライオンの霊はみんなが集まってネアンデルタール人と戦うことを望んでいる、あるいは神殿を建てることを望んでいるなどと伝えれば、1000人の人々が集まってネアンデルタール人と戦ったり神殿を建てたりする。

もしきみが、「偉大なるライオンの霊は、みんなが神殿の聖職者のところにバナナをもっていくことを望んでいらっしゃる。そうすれば死後の霊の世界では、山ほどのバナナを手にできるであろう」と伝えれば、1000人の人々がみんな聖職者のところにバナナをもっていく。そして聖職者は山積みになったバナナを手にすることができるんだ！

これが通用するのは、私たちサピエンスだけだ。チンパンジーを相手に、死んだらチンパンジーの天国で好きなだけバナナを食べさせてあげると約束しても、チンパンジーが手にもっているバナナをもらうことはできない。私たちの話を信じるチンパンジーは１匹もいないからね――このような物語を信じるのはサピエンスだけだ。そしてそのことこそが、私たちサピエンスが世界を支配し、かわいそうなチンパンジーたちが動物園のおりのなかに閉じこめられている理由だと言える。

なんだか不思議に思えるかな？　物語が世界を支配しているなんて言われても、信じられないかもしれないね？　それならば、きみのまわりにいるおとながどんなふうに振る舞っているかを見てみよう。おとなは、ときどき、とても不思議なことをする。

ライオンマン

たとえば、いつも風変わりな帽子をかぶっている人たちがいる。偉大な神さまがその帽子を大好きだと信じているからだ。おいしい食べものをいっさい食べないという人たちもいる。偉大な神さまが食べるなと言ったと信じているからだ。偉大な神さまがそう言ったからと信じて、地球の裏側で暮らす人たちと戦いに出かける人もいるかもしれない。また、偉大な神さまが望んでいると信じて、大きな建物を作るためにたくさんのお金を寄付する人もいるだろう。

その人たちの子どもは、こんなふうに質問するかもしれない。「なぜ、この建物は必要なの？　なぜ、私たちはこの風変わりな帽子をかぶらなくちゃいけないの？　なぜ、地球の裏側の人たちと**戦わなくちゃいけないの？**」　するとその子の両親は、おとなたちみんなが信じている物語を子どもに話してきかせ、子どもたちもその物語を信じはじめる。

サピエンスがいつ最初の物語を作りだしたかは、正確にはわかっていない。でもそれは大昔のことで、まだ私たちの祖先だけでなく、フローレス島の小型の人類もネアンデルタール人も地球上で暮らしていた時代だった。そのころの人々が話していた物語がどんなものだったかもわからない。もしかしたら偉大なるライオンの霊の物語だったかもしれない。もしかしたら偉大なるライオンの霊は、ライオンの頭をもつ人間のような姿だったかもしれない。

ドイツのシュターデル洞窟で、考古学者たちがほんとうに人間の体とライオンの頭をもつ彫刻を見つけている。「ライオンマン」と呼ばれるようになったこの像は、およそ3万2000年前にサピエンスが彫刻したものだ。**このような姿の生きものはどこにもいたことがない。**だからこのライオンマンは、3万2000年前にドイツで暮らしていた人々が考えだしたものにちがいない。人々がライオンマンにまつわるどんな物語を語っていたかはわからないけれど、もしも何千人もの人たちがみんな、このライオンマンにまつわる同じ物語を信じていたとしたら、これは人々が力をあわせるのに役立ったはずだ。そして、そのような協力が、その人たちがドイツにたどり着く前からドイツで暮らしていたネアンデルタール人たちを押しのけるのに役立った。

やがて、人々はライオンマンを信じるのをやめてしまった。ライオンマンの物語は忘れさられ、ライオンマンの彫刻は捨てられた。だから今では、考古学者がその彫刻を見つけても、ライオンマンの物語を知っている人はだれもいない。でも人々は、今ではそのかわりにまた別の物語を信じている。

おとなたちが信じている物語

きみは公園に行って、それまで一度も見かけたことのない子どもたちに出会い、何分かしたらみんなでいっしょにサッカーをしていたことはないだろうか。ほかの子どもたちのことを知らないのに、どうやってサッカーをはじめられたのかな？　なんといっても**サッカーはとても複雑なスポーツ**で、ルールがたくさんある。

それぞれの子どもたちが考えているルールが、みんなちがうことだって考えられる。ひとりの子は、両足でボールの上に立って落ちないのがサッカーだと言うかもしれない。いちばん長くボールの上に立っていられた子がサッカーのチャンピオンだ。もうひとりの子は、ボールをかくして、そのボールを最初に見つけた子が勝ちだと言うかもしれない。別のふたりの子はただむかいあってボールを投げあい、これがサッカーのやり方で、勝ち負けなんてないと言うかもしれない。そもそも、**勝ち負けのないゲームがあってもいいだろう？**

ひとりひとりが異なるルールに従いながら、いっしょにサッカーをすることなんてできるのかな？

さいわい、こんな問題が起きることはめったにない。たいていの子は、サッカーについて同じ物語を信じているからだ。サッカーの目的はふたつのゴールポストのあいだでボールを蹴りあうことだと、みんなわかっている。ボールを蹴るのは足で、手を使っていいのはゴールキーパーだけだという

ことも、みんなわかっている。ほかの子を蹴ってはいけないということも、みんなわかっている。試合をする場所には境界線があり、ボールが境界線の外に出たら「アウト」になって、ボールは相手チームのものになることも、みんなわかっている。

でもなぜ、子どもたちはみんなこのルールを知っているのだろうか？　それは、お父さんやお母さんや先生からサッカーの物語を聞いたからだ。もしかしたらお兄さんやお姉さんがサッカーをしているところを見たことがあるのかもしれないし、リオネル・メッシやミーガン・ラピノーみたいな有名選手がサッカーをしているところを、テレビで見たことがあるのかもしれないね。

それとまったく同じように、**おとなたちがとっても複雑なゲームをできる**のも、みんなが同じ物語を信じ、同じルールに従っているからだ。おとなたちがやっている最も興味深いゲームのひとつに、「会社」と呼ばれているものがある。それはサッカーよりも、ずっとずっと複雑なものになっている。

きみはこのゲームを聞いたことがあるかな？　有名な会社の名前を何か知ってる？　マクドナルドなら聞いたことがあるよね？　そう、マクドナルドは会社だ。コカ・コーラも、グーグル、フェイスブック、ディズニー、トヨタ、メルセデス・ベンツ、フォードも、みんな会社だ。きみの家に自動車があるなら、その自動車は会社によって作られた。朝ごはんにシリアルを食べたり、おやつにチョコレートを食べたりするときには、それが入っていた箱や袋を見てみよう。きみが食べているものを作った会社の名前とロゴがわかる。

きみの家族のだれかが、もしかしたら会社で働いているかもしれない。きみはその会社の名前を知っているかな？　でも、会社っていったい何だろう？　**それは目で見たり、耳で聞いたり、手でさわったり、においを嗅いだりできるものだろうか？**　会社の名前や会社がしていることについては、よく耳に入ってくるから、そんなふうに思えるかもしれないね。会社は人を雇ったり、やめさせたり、環境を汚染したり、世界を救うかもしれない何かを発明したりする。会社はチンパンジーやバナナと同じように、じっさいに手でさわれるものにちがいない――そんなふうに思えるよね？　それじゃあ、くわしく見ていくことにしよう。たとえばマクドナルドはどうだろう。マクドナルドって、正確に言うと、いったい何？

まず、マクドナルドは子どもたちが大好きなハンバーガーやフライドポテトのことではない。マクドナルドはハンバーガーを作っているけれど、マクドナルドはハンバーガーではないね。**もしもゴジラがあらわれて、ハンバーガーをぜんぶ食べてしまうと**、マクドナルドという会社はどうなっちゃうんだろう。でも、たいしたことはない。マクドナルドはまだあるし、もっとハンバーガーを作るだけのことだ。

それなら、マクドナルドはきみがいつもハンバーガーやフライドポテトを食べている、マクドナルドのお店のことなのかな？　いや、それも正しい答えではない。マクドナルドという会社には何万ものお店があるけれど、そのお店がマクドナルドというわけではないんだ。大地震があって、マクドナルドのお店がぜんぶこわれてしまったとしても、マクドナルドという会社はこわれない。マクドナルドはただ新しいお店を建てて、ハンバーガーとフライドポテトを作りつづけるだけだ。

それならもしかして、マクドナルドはお店で働いている人たちのことだろうか？　店長さん、調理をする人、テーブルまでハンバーガーをもってきてくれる人、それに掃除をする人もいるね。いや、それもちがっている。もし働いている人がみんな、その仕事に飽きたり、もっとたくさんお金がほしいと考えたりして、やめてしまったとしよう。それでもマクドナルドはなくならない。ただ、同じ仕事をする別の人たちを雇うだけのことだ。働く人たちがすっかり変わっても、マクドナルドはまったく同じままなんだよ。

そうなると、マクドナルドというのはそうやって働く人たちを雇ったり、その人たちにどれくらいお金を払うかを考えたり、新しいお店をどこに開くかを決めたりする人たちのことにちがいない。そういう人たちはマクドナルドの所有者（もち主）だ。マクドナルドがハンバーガーをたくさん売って、たくさんもうけると、所有者はお金もちになる。

でも、マクドナルドの所有者は変わりつづけている。はじめ、マクドナルドはたったひとつの家族のもちものだった。その家族の名前を想像してみてごらん。

そう、マクドナルド兄弟だ。モーリス・マクドナルドとリチャード・マクドナルドのマクドナルド兄弟が、1940 年にハンバーガーを売るレストランを開き、自分たちの名前をつけた。でも、モーリスとリチャードはもう何十年も前に死んでしまったのに、マクドナルドという会社はまだある。マクドナルド兄弟の子どもたちが、マクドナルドをもらったのだろうか？　そうではない。モーリスとリチャードは自分たちが世を去るずっと前に、別の人にマクドナルドを売ってしまった。その別の人もまた別の人に売った。その人もまた別の人に売った。

そしてとてもたくさんの人々がマクドナルドという会社を所有している。でも、それぞれの人が所有しているのは、ほんのわずかな部分にすぎない。こうしたわずかな部分は「株式」と呼ばれていて、**きみも希望すればマクドナルドの株式を買うことができる**。1 株は、アメリカでおよそ 200 ドルくらいだろう。そうすればマクドナルドの所有者のひとりになるというわけだ。

そしてもしきみが、ほんとうにたくさんの株式を買うとすれば、マクドナルドの最も大切な所有者のひとりになって、きみの住んでいる家の近くにマクドナルドのお店を開く、セロリぬきのまったく新しいハンバーガーを作る、働く人に毎月 2 倍のお金を払う、なんてことだって決められるかもしれない。でもそれで、きみはマクドナルド

になれるのかな？　そんなことはないよね。たくさんの人たちが、ひっきりなしにマクドナルドの株式を売ったり買ったりしているから、所有者はクルクル変わっているのに、それでもマクドナルドはずっと同じままだ。マクドナルドという会社は、その所有者のことではない。

それならマクドナルドが何なのか、まだわかっていないってことだ。マクドナルドを目で見たり、耳で聞いたり、手でさわったり、においを嗅いだりするには、いったいどこに行けばいいんだろう。じつは、そんなことはできない。お店を見て、調理をする人と話して、ハンバーガーのにおいを嗅ぐことはできる。でもそれがマクドナルドではないわけだからね。マクドナルドはチンパンジーやバナナのように、じっさいに手で触れられるものではないんだ。マクドナルドはおとなたちが信じている物語のひとつで、**私たちの想像のなかだけにある**。私たちはそれを、特別なサピエンスのスーパーパワーで作りだした。

たぶん私たちの祖先はずっと昔に、雲の上には偉大なるライオンの霊がいて、バナナを見つけたりゾウをつかまえたりするのを助けてくれると信じていた。そしてそれとまったく同じように今のおとなたちは、マクドナルドと呼ばれる偉大なる霊がいて、お店を開いたり働く人にお金を払ったりたくさんもうけたりできると信じているんだよ。

物語はどんなふうに役立つ？

人々はなぜ、マクドナルドと呼ばれる霊について、そんな奇妙な物語を考えだしたのかって？　それは、じっさいにとても役立つ物語だからなんだ。これまでの歴史のほとんどの時代をとおして、お店を開き、働く人にお金を払い、もうけることができたのは、ほんとうにいる人間だけだった。でもそれだと、何かうまくいかないことがあったときに、お店をもっている人がたいへんなことになってしまう。

たとえば、お店をもつのにお金を借りたのに、お客さんがだれもこなくて、お金を返せなくなったらどうする？　借りたお金を返すために、自分の家や靴や、ときには靴下まで売らなくちゃならなくなる。**着るものもなくなって、裸のまま道で寝ることになるかもしれない。**それから、きみのお店で料理を食べた人が重い病気になったりしたら、それはきみのせいだからといって、牢屋に入れられることだってあるかもしれない。そうなると、みんなお店をもつのも、そのほかのどんな種類の仕事をはじめるのも、こわくなってしまうだろう。そんな大きな危険をおかすことなんて、できそうもないよね？

そこで、とても想像力に富んだ人たちが会社の物語を思いついたってわけだ。お店を開きたいけれど、靴下まで売り払ったり牢屋に入ったりするような危険をおかしたくなければ、会社を作ればいい。そうすればその会社が危険をおかし、すべてを引きうけてくれる。

会社が銀行からお金を借りるので、もしも返せないことがあっても、きみは責められないし、**きみの家や靴下を取りあげる人もいない**。銀行がお金を貸したのは、きみじゃなくて会社だからだ。そしてもし、だれかがハンバーガーを食べておなかを痛くしたとしても、きみのせいにはならない。そのハンバーガーを作ったのはきみじゃなくて、会社だからね。

もしきみが会社を作ると、お店にかぎらず、たくさんのことで助けてもらえるだろう。たとえばティナのお父さんが、「家の床のあちこちに、ドロだらけの足あとをつけたのはだれだ？」とたずねたとしよう。ティナはこう答えればいい。「それは私じゃない、ティナの会社だよ」。ずいぶん気が楽になるね。そして、おとながやっているのはそういうことだ。世界で起きている環境汚染のような、何かとても深刻なことで責められたら、「やったのは私じゃない、会社だ」と言えばいいだけになる。

なんだかややこしいことがわかったら、それでいいんだ。マクドナルドのような会社の物語は、それはそれは複雑だからね。もしきみが、この物語を話してきかせてと頼むと、たいていのおとなはよくわからないと言うだろう。きちんと説明できるのは特別な人たちだけで、その特別な人たちは「法律家」と呼ばれている。

では、マクドナルドという会社がはじめにどうやって生まれたのかを見てみることにしよう。モーリスとリチャード・マクドナルドが最初のハンバーガーを焼いたときでも、最初の店の最初のレンガを置いたときでもなければ、最初のお客さんがお店にやってきて、最初に代金を支払ったときでもない。**それは、法律家がちょっと変わった儀式をして、みんなに物語を語ったときに作られた。**マクドナルドという会社の物語を語ったときだ。

物語をきちんと話すために、法律家はまず特別な儀式用の服を着る必要があった——だからスーツと呼ばれている服を着た。人々に大切な物語を語ろうと思ったら、**見栄えがするように気をつけなくてはいけない**。それから法律家は、法律家のほかにはだれも理解できない言葉で書かれた古い本を山ほど開いた。その言葉は「法律用語（リーガリーズ）」と呼ばれている（法律用語はラテン語にとてもよく似ていて、じっさいにラテン語をもとにした用語がたくさんある。「リーガリーズ」という英語も、ラテン語をもとにしている）。

法律家はそれらの古い本のなかから、マクドナルドを作るために必要となる正確な文をさがしだすと、忘れられてしまうことがないように、とても美しい紙に書きつけた。そしてその紙を手にもち、たくさんの人々に聞こえるよう、大声で物語を読みあげた。

もちろん、だれにもマクドナルドという会社は見えなかったし、音もせず、においもしなかった。それでもおとなたちはみんな、マクドナルドという会社がじっさいにあると考えた。それはすべてのおとなたちが法律家の話した物語を聞き、それを信じたからだった。

マクドナルドはこうやって作られた。そのほかの会社もみんな、グーグルもフェイスブックもメルセデス・ベンツもトヨタも、こうやって作られたんだ。どれも、おとなたちが信じている物語だ。そして、みんながこれらの物語を信じているので、たくさんの人々が力をあわせられるというわけだね。

紙きれの力

現在、マクドナルドという会社ではおよそ20万人の人々が働いていて、毎年およそ60億ドルの利益が生まれている。ずいぶんたくさんのお金だ！　そしてマクドナルドで働いている人たちは、マクドナルドからしなさいと言われたことを、いっしょうけんめいにする。そうすれば会社が得たお金の一部をもらえるからだ。

それならば、マクドナルドやグーグルやほかのすべての会社が人々にわたす、**このお金というのは、いったい何だろう**。みんながとてもほしがるお金というのは、いったい何かな？　じつはお金も、おとなたちが信じている想像上の物語のひとつにすぎない。お金を、よく見てみよう。1ドル紙幣でも、1ルピー紙幣でも、5ユーロ紙幣でもいい。何だと思う？　ただの紙きれだね。それを手にもっていても何もできない。食べることも、飲むことも、着ることもできないよ。

ところがそこで登場するのが、「銀行家」と「政治家」と呼ばれる人たちだ。その人たちはりっぱな物語の語り手で、法律家よりももっと大きい力をもっている。おとなは銀行家と政治家をとても信頼していて、その人たちが語る物語ならほとんどすべてを信じるだろう。その人たちは、**「この小さい紙きれにはバナナ10本分の価値がある」**というような物語を語り、おとなたちはそれを信じる。そしてみんながこの物語を信じているかぎり、その小さい紙きれには、ほんとうにバナナ10本分の価値があるんだ。きみがその紙きれをお店にもって行き、まったく知らない人に手わたすと、その知らない人はきみにほんもののバナナをわたしてくれて、きみはそれをじっさいに食べることができる。

もちろんきみがその紙きれを使えば、バナナだけではなくて、ほかのものも買える。ココナツでも本でも、なんでも好きなものを買えるよ。たとえばマクドナルドに行ってハンバーガーを買うことだってできる。

チンパンジーには、それができない。チンパンジーは、肉やバナナなど、ものをおたがいにやりとりすることはある。ときには、おたがいの世話をやりとりすることもある。たとえば、1匹のチンパンジーがもう1匹のチンパンジーの背中をかいてやると、背中をかいてもらったチンパンジーはかいてくれたチンパンジーの毛のあいだか

ら、ノミやトゲを取り除いてやる。きみが私の背中をかいてくれたら、私がきみの背中をかいてあげるのと同じだ。でも、もし1匹のチンパンジーがもう1匹のチンパンジーに1ドル紙幣を手わたして、そのかわりにおいしいバナナを1本もらおうとしたら、どのチンパンジーもみんな途方にくれてしまう。**チンパンジーはお金を信じていない**し、力をあわせるということも信じていない。

こうして物語のおかげで、おたがいを知らない何千人もの人たちが力をあわせることができる。サッカーの物語がなければ、きみはサッカーというスポーツのルールを知ることができないだろう。ほかの子どもたちとボールを蹴りあうことはできても、サッカーの試合はできない。そして会社とお金の物語がなければ、マクドナルドに行ってハンバーガーを買うことはできない。

小さいけれど、とても力のある油のびん

こうして物語を語るというスーパーパワーによって、私たちはまず、とてもたくさんの人数で力をあわせられるようになった。でも、それだけではない。私たちはそのスーパーパワーのおかげで力をあわせる方法を変えることができ、しかもとても素早く変えることができる。前に見たように、アリは物語を生みださないのに、とてもおおぜいで力をあわせることができるね。でもアリたちはほとんどまったく行動を変えない。もう何千年ものあいだ、すべてのアリが、たとえば女王アリを助けるというようなまったく同じことをしてきたんだ。それに対して**人間は、すばやく自分たちの行動を変えることができ**、それにはただ自分たちが信じている物語を変えるだけですむ。

たとえば、フランスはとても長いあいだ王さまによって統治されていた。雲の上にいる偉大な神さまがフランスは王さまによって統治されるべきだと言ったこと、そしてフランスの人たちはみんな王さまの命令に従わなければならないことを、人々が信じていたからだ。神さまはほんとうに、そう言ったのだろうか？　たぶんそうではない。それはただの作られた物語だった。でもフランスの人たちがその物語を信じていたあいだはずっと、みんなが王さまに従った。そして王さまはみんなの上に立って、とても大きな力をもった。

でも、だれが王さまになるべきか、みんなにどうやってわかったと思う？　それについても物語があって、それはとてもおかしなものだった。このおかしな物語によれば、雲の上にいる偉大な神さまが、ひとりの勇敢な戦士をフランスの最初の王さまに選び、人々にそのことを知らせるために、びっくりするような奇跡を起こした。

神さまは天国から地上にむけてハトを送り、とびきり特別な油がいっぱい入った、小さいガラスびんを届けたんだ。じっさいにこのことを見た人はだれもいなかったけれど、聖職者が人々にガラスびんを見せて、空からやってきたと言ったので、**人々はなんとなくそう信じた**。そして新しい王さまの頭に冠をのせるとき、聖職者はまず王さまの頭に、天から届いたこの油を注いだ。

それからというもの、王さまが死んで、新しいフランス国王になるその息子の頭に冠をのせるたびに、その前に特別な油を注ぐようになった。油がなければ王さまではない。そしてその油のびんは安全な場所にしまわれた。

男の子だけ

天から届いた油の物語は、王さまが雲の上の偉大な神さまによって地上に送られた人物だと、フランスじゅうの人々を納得させるのに役立った。だから、王さまが国民に食べものをもってくるよう命令すると、たくさんの食べものが集まり、たとえ国民の多くがとてもおなかをすかしていたとしても、王さまの前には**リンゴとフランスパンと香りの強いチーズが山のようにつまれた**。王さまが国民に大きな宮殿を建てるよう命令すると、たとえ国民の多くが小さな小屋に住んでいたとしても、人々は集まって王さまのために大きな宮殿を建てた。王さまが国民によその国の王さまと戦うよう命令すると、人々は剣と盾を手にして戦いに出かけ、その多くは戦場で命を落とした。

そして王さまの命令に従いたくない人がいると、みんなは口々にこう言ったんだ。

「でも王さまの頭には天から届いた油が注がれた！　私たちは王さまに従わなくてはいけない！」

ただし、ここでひとつの疑問について、ちょっと考えてみる必要があるね。ガラス

のびんはとても小さくて、あまりたくさんの油は入らなかったという点だ。それなら、何人かの王さまの頭に冠をのせる儀式で注いでいるうちに、天から届いた油はなくなってしまうよ。**思いだしてほしい——油がなければ王さまではない。**どうやって天から届いた油が増えたんだろう？

もしきみが王さまの息子で、自分が新しい王さまになるためにはそのびんに油が入っている必要があるとしたら、どうする？何かいい考えはあるかな？　そうだね、フランスの王さまたちもたぶん、きみとまったく同じ考えをもっていた。

とにかく、人々が新しい王さまの頭に冠をのせるときにはいつも、小さいガラスのびんにたっぷり油が入っていたんだ。そして国民は、これもまた奇跡だと信じた。それは雲の上にいる偉大な神さまが、新しい王さまを大好きだという証拠だからね。

それなら王さまの娘が、天から届いた油を自分の頭に注いでほしい、そして自分がフランスを統治したいと言ったとしたら、どうなったのかな？——だれもが大笑いして終わりだった。

「あなたにはフランスを統治することはできません」と、人々は言った。「なぜかというと、雲の上にいる偉大な神さまは、女子をあまりお好きではないからです。雲の上にいる偉大な神さまは、ご自分が男子なので、男子を女子よりずっと賢く、ずっと勇敢にしました。そのために、女子がフランス王国を統治することはできないのです。**統治できるのは男子だけ**です」

そして人々はその物語を信じたので、女子を王さまにすることはなかった。じっさいのところ、女子にはさせなかったことがほかにも山ほどある——女子は船の船長にも、法律家にもなれず、学校に行くことさえできなかった。

天から届いた油の物語は、とっても大切なものだった。それは、フランスを統治するのはだれなのか、何百万人もの国民に何をすべきか指図するのはだれなのかを決めるのに、おおいに役立ったからだ。フランスの人々はこの物語をとても長いこと信じていたから、フランスは1000年以上にわたり、頭に油を注がれた王さまによって統治された。

でもやがて何でもよく考える何人かの人たちが、その物語についても考えはじめた。「ねえねえ、**この物語はまったくくだらないと思う**」と、ひとりが言った。「どうして信じる人なんかいるんだろうね？　雲の上にいる神さまが、フランスは王さまによって統治されるべきだとか、男子のほうが女子より賢いとか、言うはずがない。きっと王さまとその息子たちが、ただ国民に自分たちの言うことをきかせたくて、その物語をでっち上げたんだ」

「そのとおりだ」と、別の人が賛成した。「それに、フランスを統治するには頭に油を注ぐ必要があるなんて、どうして考えるんだろう。じつにばからしい話だ！　小さいびんに入っている油が、いつまでもなくならないっていう奇跡をほんとうに信じている人がいるのかい？　ありえない！　新しい王さまの頭に冠をのせる儀式の前に、油のびんが保管されている部屋に召し使いがそうっと忍びこみ、台所で使っているふつうの油を内緒で足していたにちがいないよ！」

　フランスの人々は、自分たちがこのくだらない話を長年にわたって信じ、たくさんの王さまが人々から香りの強いチーズを取り上げたうえ、その人々を危険な戦場に送りだすのを、これまでずっと許していたことにひどく腹を立てた。だから王さまをつかまえて、首をはねてしまった。そして古い油のびんを見つけると、こなごなに割ってしまった……それでも雲の上から神さまがやってきて、その人たちを罰することはなかったんだ。歴史家たちは、**フランス国民が王さまを信じるのをやめた**このできごとを、「フランス革命」と呼んでいる。

　今はもう、フランスに王さまはいない。フランス国民はフランスの大統領になってほしいと思う人を、選挙で選んでいる（大統領になるために、頭に油を注ぐ必要はない）。何年かたって、その大統領を好きでなくなったら、まただれか別の人を選挙で選ぶ。そしてだれでも――男子だけでなく女子も――大統領になることができる。

　もちろん、世界じゅうの人たちと同じように、フランスの人たちもまだ別の風変わりな物語を信じている。たとえば会社の物語や、国家主義や民主主義といった複雑なことに関する物語だ。これらについてはまた別の機会に話すことにしよう。でもここで、おぼえておいてほしい大切なことがふたつある。ひとつ目は、人々が力をあわせるためには物語が必要なこと、そしてふたつ目は、信じている物語を変えることによって、力をあわせる方法を変えられることだ。だから私たちはアリよりもずっと強大な力を誇っている。それが私たちのスーパーパワーだ。

物語を語る人々の集団

こうして私たちの祖先は、世界をすっかり自分たちのものにした――物語を使って。人類のほかに、物語を信じる動物はいない。ほかの動物たちは、じっさいに見たり、聞いたり、嗅いだり、さわったり、味を感じたりできるものだけを信じる。チンパンジーはヘビが近づいてくるのが見えると、危険にさらされていることを信じる――「逃げろ！」 雷の音が聞こえると、嵐がやってくることを信じる――「もうすぐ大雨がふるぞ！」 ライオンの糞のにおいを嗅ぐと、近くにライオンがいると信じる――「くそーっ！」 燃えている枝にさわると、火は熱いことを信じる――「あちっ！」 そしてバナナを食べると、バナナがおいしいことを信じる――「うー、うまい！」

私たちサピエンスも、もちろんすべて同じことをできるけれど、物語を信じているので、それよりはるかにたくさんのこともできる。たとえば私たちの祖先が世界のあちこちに広がっていくとちゅうで、ネアンデルタール人やフローレス島の小型の人類、さもなければひどく危険な動物に出会ったときには、首長がみんなに物語を語ってきかせることで勇気づけていたかもしれない。「偉大なるライオンの霊が、われらにネアンデルタール人を追い払ってほしいと思っておいでだ」。こんなふうに首長は話しただろう。「ネアンデルタール人はとても強いが、心配はいらない。もしネアンデルタール人に殺されることがあっても、それはほんとうはいいことなのだ。なぜなら、戦って死ねばきっと雲の上の霊の世界に行き、そこで偉大なるライオンの霊に歓迎されて、**ブルーベリーとゾウのステーキをおなかいっぱい食べさせてもらえる**から」

こうして人々が物語を信じると、力をあわせてネアンデルタール人を追い払った。たしかにネアンデルタール人はとても強かったが、50人のネアンデルタール人は、しっかり力をあわせている500人のサピエンスにはかなわなかった。

このように物語を信じることで、私たちのひいひいひい……おじいちゃんとおばあちゃんたちはとほうもなく大きな力を手にしたために、世界のいたるところに広がって、この地球上のあらゆる土地、あらゆる谷、あらゆる島を征服することになった。

では、新しい場所を征服して、そこに落ち着いたあと、私たちの祖先は**つぎに何をしたのだろうか？** 何千年も前の暮らしはどんなものだったのだろうか？　ネアンデルタール人との戦いのほかにも、祖先たちについて知りたいことはたくさんある。朝、目がさめたあと、何をしたのかな？　朝ごはんには何を食べたのか——そして昼ごはんには？　趣味は何だったのか？　絵を描くのが好きだったのか？　どんな服を着て、どんな家をもっていたのか？　恋に落ちたのか？　お兄ちゃんたちは妹たちをからかったのか？　当時の暮らしは私たちの暮らしよりよかったのか、それとも悪かったのか？

つぎの章で、これらの疑問や、ほかにもたくさんの疑問に答えていく。そして私たちの祖先の数千年前の暮らしをあきらかにするとともに、そのころ祖先たちがしていたことが、今の私たちの大好きなもの、こわがるもの、信じるものにどんな影響を与えつづけているかを、よく見ていくことにしよう。

第3章

私たちの祖先の暮らし

みんなアイスクリームが大好きな理由

何千年も前の、私たちのひいひいひい……おじいちゃんやおばあちゃんたちの暮らしは、今の暮らしとはずいぶんちがっていた。それでも、そのころの暮らし方によって、私たちが今どんなふうに行動するかが決まっている。きみが夜におばけをこわがるのは、祖先の記憶が残っているからだ。それに、きみが朝起きて、朝ごはんを食べて、それから友だちと遊ぶときにも、石器時代にアフリカのサバンナで暮らしていた祖先たちの習慣に従っていることが多い。

たとえば、どうしてみんな体に悪いものを食べたくなるのか、不思議に思ったことはないかな？　アイスクリームやチョコレートケーキ。**体に悪いものは、どうしてあんなにおいしいのだろうか。**

その答えは、私たちの体が今はまだ石器時代だと思っているからなんだ！　石器時代には、甘くて脂肪がたっぷりの食べものを、食べられるだけ食べるのが大正解だった。祖先の時代には、スーパーマーケットも冷蔵庫もなかったから、おなかがへると森のなかや河原を歩きまわって、何か食べられるものを探さなければならなかったんだね。そしてどんなに探しても、**アイスクリームのなる木やコーラが流れる川**はぜったいに見つからなかった。そのころ手に入った甘い食べものといえば、熟したくだものとハチミツしかない。だから甘いくだものを見つけたときには、できるだけたくさん、それもできるだけ急いで食べるのが、賢いやり方だった。

石器時代の人々のグループが食べものを探して歩いているうちに、すっかり熟した甘いイチジクがたくさん実った木を見つけたとしよう。何人かの人はイチジクの実を 2 個か 3 個だけ食べて、こう言った。「こんなにたっぷりある。これはみんな私たちのイチジクだ」。ほかの人たちは何も言えなかった。なぜかって、口のなかがイチジクでいっぱいだったからだ。その人たちは食べて、食べて、食べて、おなかがはちきれそうになるまで食べた。そしてつぎの日、みんなでその木に戻ってみると、イチジクの実はひとつも残っていなかった。ヒヒの群れがこの木を見つけて、甘い実をひとつ残らず食べてしまったからだ。前の日にたっぷり食べた人たちは、まだそんなにおなかがへっていなかったけれど、2 個か 3 個しか食べなかった人たちは、もうおなかがぺこぺこになっていた。

考古学者たちは、この時代に作られた像をたくさん見つけていて、よく太った女の人の像も多い。そしてそのなかでもオーストリアのヴィレンドルフで発掘されたとくに美しい像を、**「ヴィレンドルフのヴィーナス」**という名前で呼んでいる（もちろん、その女の人のほんとうの名前ではないよ。3 万年前に何て呼ばれていたかは、だれにもわからないからね）。このヴィーナスが暮らしていた時代には、体についた脂肪は健康と成功のあかしだったんだ。もちろん石器時代のほとんどの人たちは、ヴィーナスには似ていなかった。それは今、ほとんどの人たちが広告のなかのモデルに似ていないのと同じことだ。でもその時代にはみんな、できるだけたくさん甘いものを食べるほうがいいことを知っていた。それが体のためによいことだった！　石器時代のお父さんやお母さんは、子どもたちをこう言って叱ったにちがいない――「そんなフニャフニャしたレタスの葉っぱなんか食べるのをやめて、今すぐ甘いものを食べなさい！」

私たちはこうして石器時代の祖先から、甘いものを食べたくなる気もちを受けついでいる。私たちの体のなかにある DNA の指示書には、大きな太字で、**「もし甘いものを見つけたら、できるだけ素早く、できるだけたくさん食べること！」**と書いてあるんだね。

ヴィレンドルフのヴィーナスの時代から今までのあいだに、たくさんのことが大きく変わってきた。今ではほとんどの人が、食べられるものを探すのにサバンナを何時間も歩くことはない。そのかわりに、おなかがすいたら10歩ほど歩いて冷蔵庫の前に行き、とびらをあけて、なかを覗く。でも、そこでチョコレートケーキを見つけたら、今でも石器時代の人々がイチジクの木を見つけたときと**同じことをしてしまう**。

私たちの体は指示書を読みとって、こう叫びはじめる——「やあ、甘いものを見つけたね！　すばらしい！　できるだけ素早く、できるだけたくさん食べよう！　急いで！ぼやぼやしてると、となりの森からヒヒがやってきて、ぜんぶ食べられちゃうぞ！」その指示書はもう時代遅れなのに、体はそれを知らない。私たちが今では村や町に住んでいて、自然のままのサバンナで暮らしているわけではないことを、体は知らないわけだ。それに、まわりにはもうヒヒなんかいないこともね。

そこでチョコレートケーキをぜんぶ食べてしまい、つぎの日にはスーパーに行って、また新しいケーキを買ってくる。そしてつぎに冷蔵庫のとびらをあけたとき、体はこんなに幸運なことがあるなんて信じられないような気もちで、また叫びはじめる。「信じられない！　甘いものがある！　さあ、ぜんぶ食べて！」　冷蔵庫をあけて、何回チョコレートケーキを見つけても、体は学習しない。何度でも、サバンナでイチジクの木を見つけたときと同じ反応をする。今はもう石器時代ではないこと、そしてひいひいひい……おじいちゃんの時代には筋が通っていたことが今ではそんなにいい考えではないことを思いだすのは、とっても難しい。

だから、私たちのひいひいひい……おばあちゃんやひいひいひい……おじいちゃんが、どんなふうに暮らしていたかを知っておくことは、とっても大切なことなんだ。そのころどんなふうに暮らしていたかがわかれば、今の私たちの暮らしぶりを、とてもよく説明することができる。

子ども考古学者

ざんねんなことに、私たちの祖先がどんなふうに暮らしていたかについて、わかっていないことがたくさんある。まず、祖先たちはときどき、とてもたくさんの人数が集まって協力できたことはわかっている。この点で、ネアンデルタール人やライオンやクマより、ずっと有利だった。それなら、みんなでとても大きなグループを作って、いつもいっしょに暮らしていたのかな？　たとえば500人の人たちが、ひとつの、とても大きい洞窟でいっしょに暮らしていたのかな？　それとも、それぞれの家族はそれぞれの小さい洞窟で暮らし、みんなが力をあわせなくてはいけない何かとても大切なときだけ、ほかの家族と集まったのだろうか？

祖先たちは、ほんとうに洞窟で暮らしていたのだろうか？

祖先たちは、ほんとうに家族で暮らしていたのだろうか？

まず、洞窟について考えてみよう。たいていの人は、私たちの祖先が石器時代に洞窟で暮らしていたと思っている。それは、祖先の残したものが洞窟でたくさん見つかっているからで、たとえば、石で作られた道具、骨、洞窟の壁に描かれた絵などがある。フランスのラスコー洞窟で見つかった1万7000年前の野生のウマの絵は、とっても有名だね。

ラスコー洞窟を発見したのは、考古学の研究を仕事としていた学者ではなかった。見つけたのは、4人のフランス人の少年たちなんだ。その少年たちが森に遊びに行ったとき、地面にあいた穴を見つけ、調べてみることにしたのがきっかけだ。穴に石を投げ入れて、どのくらい深い穴かをたしかめてみると、とっても深い洞窟につながっていることがわかった。そこで少年たちは穴のなかにおりていき、しめった粘土の急なトンネルを進んで、まっ暗な、だれも知らないところに入っていった。ほんとうに勇敢な少年たちだね！　そして、それほど勇敢な行動をしただけの甲斐はあった。洞窟の奥に進んでいくと、広々とした部屋のような空間に出て、その壁に大昔の人たちによって描かれた絵が、何百も残っているのを見つけたからだ。それは20世紀でも指折りの、考古学上の大発見だった。

じっさいには、それまでにも驚くような大発見をした子どもがいた。ラスコー洞窟が発見される60年ほど前に、考古学者のマルセリーノ・サンス・デ・サウトゥオラはスペインのアルタミラ洞窟を探検しようと考え、8歳の娘マリアもいっしょに連れていった。洞窟に入るとマルセリーノは地面にばかり目をむけ、ちょっとしたでこぼこをひとつずつ調べながら、大昔の骨と石器を見つけるのに夢中になってしまった。**すっかり退屈したマリアは**、壁や天井を見上げはじめた。そしてとつぜん、大きな声で叫んだんだ――「見て、お父さん、ウシがいる！」その声でマルセリーノも上を見ると、洞窟の壁や天井一面に、バイソンなどの動物の、じつにみごとな絵がたくさん描かれていたんだ。

ただし、こうして洞窟でたくさんのものが見つかったからといって、大昔の人たちがいつも洞窟で暮らしていたとはかぎらない。じっさいには、ほとんど洞窟で暮らすことはなく、たいていはひらけた場所に木の小屋を建てたり、枝と動物の皮でテントを張ったりして、野営していた。

やっぱり、わが家がいちばん

イスラエルのガリラヤ湖の岸辺にあるオハロでは、2万3000年前に人々が暮らしていた、大昔の野営地のあとが見つかっている。そこには木の枝とわらで作った小屋が6つあり、それぞれの外にはたき火のあとも残っているんだ。**これくらいの小屋なら、たぶん2時間か3時間もあればできあがっただろう。**考古学者たちは小屋のほかにも、石でできたさまざまな道具や骨、それにゴミ捨て場まで見つけた。そこには食べものの残りもあったから、このゴミ捨て場のなかみから、オハロの人たちが何を食べていたかがわかる。爬虫類、鳥類、ガゼル、シカ、8種類の魚、たくさんの異なるくだものと野菜、それから野生のコムギ、野生のオオムギ、野生のアーモンドなどの植物があった。

小屋は、しばらく人が住んだあとで、焼けてしまったらしい。たぶん何かのまちがいで火事になったか、住んでいた人たちがオハロにあきて、立ち去ることに決めたのだろう。だれもいなくなったあとすぐに、運よく洪水があって、その野営地全体が粘土のような泥で厚くおおわれてしまった。そしてこの泥がかたまって、人々が立ち去ったときのその場所の姿が、そっくりそのまま残された。だから、オハロの野営地がどんなもので、ゴミ捨て場に何が捨てられたのか、長い年月がすぎた今でもわかるんだ。

世界じゅうにはオハロのような野営地が数えきれないほどあって、**ほとんどの人はこうした野営地で暮らしていたと考えられている。**けれどもそのような場所はほとんどすべて、今ではあとかたもなく消えてしまった。小屋を建てるのに使われた木材は風や雨にさらされて崩れ、ゴミはジャッカルやアリに食べられたにちがいない。今になって見つかるものは、ほんのわずかしかなくて、そのほとんどは洞窟の奥深くに残されていたものだ。そこならジャッカルに見つからないし、嵐の雨や風も届かないか

らね。

つまり、そのころの人々はたまに洞窟を訪れただけで、ずっと洞窟で暮らしていたわけではなかった。洞窟（洞穴）に住む「穴居人」ではなかったんだ。

遠い未来のいつかに、宇宙から小惑星が飛んできて地球に衝突し、地上にある家も学校も工場も博物館も、すっかり壊してしまったとしよう。残されたのは地下深くにある地下鉄のトンネルだけ。そして人類の芸術で残されたのは、地下鉄の駅の壁にあるらくがきと、路線図と、広告だけだ。その後、とびきり頭のいいネズミが世界を征服したとすると、未来のネズミの科学者は私たち人間についてどう考える？　**私たちを、トンネルに住む「トンネル人」と呼ぶだろうか？**

つぎに、家族について考えてみよう。ヴィレンドルフのヴィーナスやオハロの野営地の時代の家族は、どんなものだったのだろう？　オハロでは、ひとつの小屋にひとつの家族が住んでいたのかな。それに「家族」って、いったいどういう意味だったのかな。男の人と女の人が一生いっしょに住んで、自分たちの子どもだけを育てるのが、家族だったのだろうか？

ほんとうのことを言うと、よくわかっていない。たいていの人は、人間はいつも家族で暮らし、その家族にはお母さん、お父さん、その子どもたちがいると想像しているけれど、それがほんとうかどうかはまったくわからないんだ。今では、**世界じゅう**

でさまざまな家族が暮らしている。同じクラスの子のことを考えてごらん。みんながお母さんとお父さんといっしょに暮らしているのかな？　たぶん、そうではないね。

今では、一生ひとりのパートナーといっしょに暮らす人もいれば、何人ものパートナーをもつ人も、ずっとひとりで暮らす人もいる。国によっては、たとえばサウジアラビアのように、ひとりの男の人が同時に何人もの女の人と結婚できる。また別の国では、たとえばアメリカのように、女の人どうしが結婚することも、男の人どうしが結婚することもできる。

子どもがひとりだけの家族も、10人の家族もあるし、子どもがいなくて幸せに暮らしている家族もある。子どもを育てているのは、シングルマザーのことも、シングルファザーのことも、おじいちゃんやおばあちゃんのこともある。養子を育てる家族も、お父さんやお母さんがふたりいる家族もある。ときには両親が離婚して、それぞれが新しいパートナーを見つけたために、ひとりの子どもにいっしょに暮らしているお母さんとお父さんと、離れて暮らしているお父さんとお母さんがいることもある。なかには、おばさん、おじさん、いとこ、おばあちゃん、おじいちゃんが、みんないっしょに暮らしている家族だってある。だから、同じ部屋で暮らしているのが自分の弟ではなくて、いとこのこともあるし、毎朝のごはんを作ってくれるのは自分の両親ではなくておじさんやおばあちゃんのことだってあるだろう。**ほんとうに、いろいろな場合がある！**

私たちに近い仲間の類人猿も、さまざまに異なる暮らし方をしている。テナガザルは、たいていはペアで暮らす。雄のテナガザルと雌のテナガザルがカップルになると、何年間もいっしょに暮らすことが多い。森のなかの自分たちだけの場所に、家族だけで暮らし、自分たちの子どもを育てる。

ゴリラの場合は１匹の雄が、たくさんの雌とその子どもたちみんなといっしょに暮らすのがふつうだ。ちびっこゴリラたちにはそれぞれのお母さんがいるけれど、お父さんはみんな同じなんだ。

オランウータンはひとりでいるのが好きだ。そうやって平和な時間を自分だけで楽しんでいる。たぶん、木の上に腰かけて、ひとり静かに夕日を眺めながら。オランウータンのお母さんは、ほとんどの場合がシングルマザーで、お父さんの助けをかりずに自分の子どもをひとりで育てる。そして子どもは大きくなると、お母さんのもとを離れて、ひとりで暮らすようになるんだ。**オランウータンはそれで悲しくなったりはしない。それが自分たちの好きなやり方だから！**

チンパンジーの場合は、オランウータンと正反対だ。チンパンジーは、雄と雌がいりまじった大きな群れでにぎやかに暮らす。テナガザルとはちがって、長つづきするカップルにもならない。子どものチンパンジーは自分のお母さんにくっついて暮らしているけれど、だれが自分のお父さんなのかを知らないのがふつうだ。ほんとうのところ、子どもたちは「お父さん」の意味もわからないだろう。雄もいっしょに群れに加わっていて、そのなかでいちばん力のある雄が群れ全体を支配する。チンパンジーの仲間の「ボノボ」という種類では、雌どうしがとても強い友情で結ばれていて、おたがいに助けあいながら子どもを育て、おとなの雄にむかって、してほしいことを伝える。ボノボの女子は、ハンサムな王子さまとの結婚を夢見たりしないで、たいていはかっこいいガールフレンドをほしがる！

こんなふうに、類人猿はさまざまに異なる種類の家族をもっていて、現代の人類でも同じだ。それじゃあ、たとえばオハロの人たちのような、石器時代の人類はどうだったのだろうか。オハロの小屋の遺跡を見ると、**また別の暮らし方を想像することができる**。

それぞれの小屋は、お父さん、お母さん、その子どもたちという家族の家だったのかもしれない。それぞれの家族が自分たちだけの小屋を建て、自分たちの食べるものを用意して、夜にはいっしょに寝ていたのかもしれない。近所の人がたずねてきても、夜になるとそれぞれ自分の小屋に戻っていったのかもしれない。ふたりの人が恋に落ちて、いっしょに暮らすことに決めたなら、盛大な結婚式をしてみんなにそのことを知らせ、それから自分たちだけの、まったく新しい小屋を建てたのかもしれない。ひょっとすると、そんな様子があったとも考えられる。

さもなければ、もう少しちがった話も考えられる。ひとつの小屋では、ひとりの男の人と、ひとりの女の人と、その子どもたち 3 人がいっしょに暮らし、その近くの小屋では、ひとりの女の人とその子どもたちふたり、それからその女の人のボーイフレンドとその子どもたちふたりが、いっしょに暮らしていたかもしれない。3 番目の小屋では、ひとりの女の人が自分の子どもひとりと暮らし、4 番目の小屋では、ひとりの女の人とその 3 人の子ども、それに女の人のガールフレンドがいっしょに暮らしていたかもしれない。5 番目の小屋で暮らしていたのは、子どものいない年老いた人

たち3人かもしれないし、6番目の小屋では男の人がたったひとりで暮らしていたかもしれない。**さもなければ、それともまったくちがっていたかもしれない**。もしかしたら、小さな家族の区切りはなくて、みんながいっしょに「コミューン」と呼ばれる集団で暮らしていた可能性もある。コミューンが新しい場所に移動して野営地を築くときには、みんながいっしょに働いて、いくつかの小屋とテントを作り、**それぞれが自分の好きな場所で、眠ったり食べたりしたのかもしれない**。もしかしたら最初の夜にある小屋で眠ったところ、だれかのいびきがとっても大きかったので、つぎの夜は別の小屋に移ることもあっただろうか。

コミューンのだれかをほんとうに好きになったときは、ただいっしょに同じ小屋にベッドを移せば、それだけでよかった。たいくつそうな親戚みんなを招待して、派手な結婚パーティーを開いたり、まったく新しい小屋を建てていろいろなものを山ほど集めたりする必要なんかない。そしてだれかをもう好きでなくなったときには、お金のかかる離婚弁護士を雇って、小屋といろいろなものをどっちがとるか争ったあげくに、大切な分厚い書類のどこにサインすればいいかを教えてもらう、なんていう必要もない。ただ自分のベッドを別のところに移せばいいだけだ。じっさいには地面で寝ていたから、ベッドを動かすことさえなかったかもしれないね。

もしもみんなが、こうしたコミューンで暮らしていたとしたら、**子どもを育てていたのはだれだろう？** 子どもたちが自分のお母さんを知っていたのはたしかだ。お母さんはじっさいに子どもを産んで、何年ものあいだ、いっしょうけんめいに育てていたからね。でも、石器時代の子どもが自分のお父さんを知っていたかどうかは、はっきりしない。もしかしたら、男の人たちがみんなで力をあわせて、子どもたち全員を育てる手助けをしていたのかもしれない。食べものを手に入れ、ライオンから守り、木のぼりや石でナイフを作る方法を教える、といったぐあいに。子どもたちは、コミューンの何人かのおとなとしっかり結びついていて、だれがお父さんで、だれがおじさんで、だれが近所の人なのかをきちんと区別する必要があると思う人は、いなかったのかもしれない。これは人間の仲間であるチンパンジーの暮らし方に似ている。チンパンジーはたいてい、コミューンに似た集団で暮らしているんだ。

さて、こんな様子だったかもしれないし、そうでなかったかもしれない。こうしていろいろな可能性を想像するのはかんたんだけれど、科学者たちは、想像と事実とをきちんと区別する必要がある。想像しただけでは、何かがほんとうに起きたとは言えないからね。しっかりした証拠を手に入れなければならない。証拠というのは、**じっさいに見て、さわって、味をたしかめられ**、想像する必要がないもののこと、たとえば、デニソワ洞窟で見つかった女の子の骨のようなものだ。きみはその骨を見ることも、さわることもできるし、どうしてもと言えば、口に入れて味わうこともできるだろう……ただし、古い骨の、まずい味しかしないとは思うけれど。

石器時代の「自撮り」

では、石器時代の家族のじっさいの暮らし方について、これまでにどんな証拠が見つかっているのだろうか？　まずきみの家族について考えながら、今から何千年かあとに、ネズミの科学者たちがきみの暮らしを理解しようとしている場面を想像してみることにしよう。遠い未来に、どうすればきみの家族の様子がわかるだろう？

ネズミの科学者は残されたきみの家族のアルバムを見て、どんな人がいて、どんな場所に住んで、夏休みにはどこに行ったかがわかるかもしれない。それなら、石器時代のどこかの家族のアルバムが見つかれば、とっても役に立ちそうだ。でも、ざんねんながら、そんな昔には**カメラもアルバムもなかった**。石器時代の、たとえばラスコーやアルタミラのような洞窟壁画ならあるけれど、ほとんどが動物の絵ばかりだ。人間の家族を描いた絵はない。それって、とっても興味深いことじゃないかな？　だれかのアルバムを見て、そこにあるのがウマとライオンとゾウの写真ばかりだったらどう思う？　家族の写真が１枚もない。それはどういう意味なのだろうか。

もしかしたら、石器時代の絵は私たちに、そのころ家族はあまり重要ではなかったことを伝えているのかもしれない。

さもなければ、石器時代の人たちは遠くの洞窟の石の壁に動物の絵を描いた一方で、家族の絵は木の板に描き、かんたんにもち歩いて小屋の入り口にかけておけるようにしたのかもしれない。それはとっても大切な絵だったから、いつでも自分のそばに置いておきたかったんだ。ざんねんなことに、木の板はもうずっと前にすっかり消えてしまい、残っているのは洞窟のなかの動物の絵だけになった。

もしかしたら、石器時代の人たちは何かの絵を描くと、それを自分たちの言いなりにすることができると考えたのかもしれない。だからみんな、狩猟でつかまえたい動物の絵を描いて、その動物を自分たちの言いなりにしたいと思ったわけだ。一方で、自分の絵を描きたい人はだれもいなかった。

ほんとうのことはわからないし、また別の説明もあるだろう。きみも、何か思いつくかな？

石器時代の家族写真に最も近いものとしては、岩や洞窟の壁に残された手形をあげることができる。まだスプレー缶がなかった時代に、どうやって岩に手形を残せたのだろうか？　大きなヒントは、手形のほとんどが左手のもので、右手ではないという点にある。その理由を考えてみよう。

道具をもって何かをするとき、**多くの人は右手のほうを自由に使える**。そして大昔の人たちは、スプレーの管を使った複雑なやり方で手形を残したように見えるんだ。手形をひとつ作るときの手順を想像してみよう。

1. 色のきれいな石をくだいて粉にし、その粉を水にまぜて、液体の絵の具を作った。
2. その絵の具を、麦わらや木や骨から作った中空の管に注ぎこんだ。
3. 左手をひらいて壁に押しつけながら、右手でその管を慎重にもった。
4. 管の先を左手のほうにむけておいて、管の反対側から息を吹きこんだ。
5. 絵の具がスプレーみたいに左手の上にふりかかった。プシューーーッ！

左手を壁から離すと、壁には左手の手形が残った。だれかほかの人が、きみの手に絵の具を吹きかけてくれればもっとかんたんだったと思うけれど、当時の人たちはどうやら、ぜんぶひとりで自分の手形をとるほうが好きだったらしい。これは歴史上はじめての「自撮り」だ！

ひとつの岩にひとつだけ手形が残されていることもある。でも、たくさんの手形がまとまって残されている場所もいくつかある。手形のそれぞれはちがう人が作ったものでも、その人たちは同じグループの仲間だったのだろう。もしかしたらこれが、**石器時代のグループ自撮り**の方法だったのかもしれないね。何か特別な祭りのとき、その岩のまわりにグループの全員が集まって、それぞれが岩に手形を残した。きみもつぎの誕生日会で、こんなふうに石器時代のグループ自撮りをためしてみることができる——そうすれば未来のネズミの科学者が、いつかそれを見つけてくれるかもしれない！

問題は、こうして岩に自撮りを残した大昔の人々が、それぞれどんな関係だったかがわからない点だ。みんな、きょうだいだったのだろうか？　もしかしたら、いとこどうしかもしれない。それとも、だれかの誕生日のお祝いで集まった友だちだったのかな？

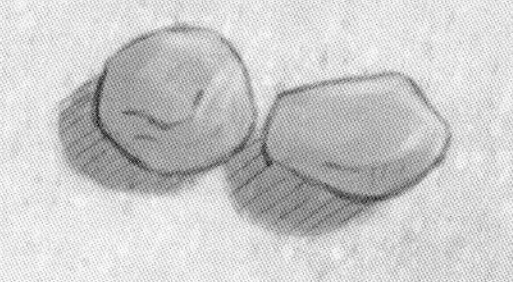

砂に残った足あと

大昔の家族の様子を知るには、そのほかにどんな証拠が役に立つだろうか。さて、きみの家族のことを知ろうとするネズミの科学者は、きみの家族が乗っている自動車や、きみの自転車を見つけるかもしれない。近所の家の自動車はふたり乗りのオープンカーで、きみの家族には自動車がないかわりに自転車が 4 台あれば、未来の天才ネズミはきみの家には 4 人家族、近所の家にはふたりだけの家族が暮らしていたと結論づけるだろう。でも、石器時代には自動車も自転車もなかった。みんな、どこに行くのも、ぜんぶ歩いていたんだ。

石器時代の人々がそうやって歩いてできた足あとが、いくつか残されている。そんなこと、信じられないよね？　だってふつう、砂浜にできた足あとは何分もしないうちに消えてしまうもの。でもフランスの大西洋岸にあるル・ロゼル遺跡では、8 万年前に砂丘を歩いた人たちが残した少なくとも 257 個の足あとを、考古学者たちが見つけた。さいわい、そこの砂がすぐに硬くなって石になったから、今もまだ私たちがその足あとを見られる。

この足あとを残したのはサピエンスではなく、ネアンデルタール人だった。足あとをくわしく調べた考古学者たちは、それを残したのはおよそ12人のネアンデルタール人のグループで、そのほとんどが子どもと10代の若者だと結論づけている。**ひとりは、まだヨチヨチ歩きの小さい子だった。**このことから、ネアンデルタール人の家族について（または少なくとも、この足あとを残したネアンデルタール人のグループについて）、とても大切なヒントが手に入る。ネアンデルタール人は、オランウータンみたいにひとりだけで暮らしていたわけでも、テナガザルのように少人数の家族単位で暮らしていたわけでもなかった。ただし、8万年前にその砂丘を歩いた12人のネアンデルタール人について、それ以上のことはわからない。全員が、ひとりのお父さんの子どもたちだったのだろうか？　みんなでいっしょに暮らしていたのだろうか？　それとも、親類ではない友だちのグループで、新年を祝おうと、1年に1回だけこの砂浜に集まっていたのだろうか？　はっきりはわからない。

だから、もっとたくさんの証拠が必要だ。きみの家族を調べている空想上の未来のネズミの科学者たちは、きみの家族のもちものをくまなく調べれば、きみたちの暮らし方についてたくさんのことがわかるだろう。きみの家には椅子がいくつ、ベッドがいくつ、コンピューターがいくつあるかな？　でも、**石器時代の人たちはあまりものをもっていなかった**。じっさいには、それが私たちの祖先についてはっきりわかっていることのひとつだ。どんな家族で暮らしていたにせよ、当時の人々はほとんどものをもたずに、なんとか暮らしていた。

現在の典型的な家族には、何年も暮らすあいだに、数百万というもちものができる。きみがもっているものを考えてみよう。椅子やコンピューターのように大きなものだけではなく、ビニール袋や、シリアルが入っている箱、キャンディーの包み紙、毎日使うトイレットペーパーも数えるんだ。食事をすれば、ナイフやフォーク、それにお皿とカップも使う。遊ぶときにはボールやトランプやゲーム機だって使うだろう。ふだんはみんな、自分たちがどれだけたくさんのものをもっているか気づかずに暮らしている……でもそれも引っ越しをするまでの話だ。いざ、引っ越すことが決まると、もっているものをぜんぶ運ぶには段ボール箱が山ほど必要になって、ハッとする。大型トラックと何人かの力もちの助けを借りないと、運べないことだってある。

石器時代の祖先たちは、とても頻繁に引っ越しをしていた。同じ場所に長くとどまることは、めったになかったんだ。もちものはひとつ残らず、背負って運ばなければならない。トラックも台車もなかったし、ウマだっていなかった。だから、たくさんのものをためこんだりはしなかった。お皿とカップ、フォークとスプーンをたくさん用意するかわりに手で食べ、何かを切る必要があれば、石をすばやくナイフに変えることができた。

　ただし、もちものは石のナイフだけではなかった。動物の皮、毛皮、羽毛で作った服をもっていたし、木で作った槍とこん棒ももっていたからね。ときには木の枝とわらでできた小屋をもっていたこともある。それでもざんねんなことに、そのようなものはほとんどすべて、ずっと昔に腐って消えてしまった。腐らなかったのは、骨と歯、それからなんといっても石だ。石はいつまでも腐らずに、何百万年もそのままの姿を残すことができる。

石の世界？

このように、石器時代から残されている証拠は、ほとんどすべてが「石」だ——だから、この時代を「石器時代」と呼ぶ。ただし、じっさいには、これは**とても誤解を生みやすい名前だ**。その時代にはすべてが石でできていたように聞こえてしまうからね！ もちろん石器時代の祖先たちは、石のベッドに寝て、石の帽子をかぶって、石の靴をはいていたわけではない。それでも、石以外の材料でできたもちものは、もうずっと昔に腐ってしまい、残ったものは石ばかりというわけだ。そのために、私たちのひいひいひい……おばあちゃんやひいひいひい……おじいちゃんたちが石器時代にどんな暮らしをしていたのか、はっきり知るのはとても難しい。

さいわい、私たちの祖先の暮らし方を知るには、もうひとつ別の方法がある——古い石を調べるのではなく、今生きている人たちを観察する方法だ。世界にはまだ、**祖先たちと同じような方法で人々が暮らしている**場所が、いくつか残っている。その人たちが住む場所に行ってみると、わかることがたくさんあるんだよ。

大まかに言うと、人は暮らし方によって３つのグループにわかれている。食べるものを自分たちで育てている人たち、食べるものを買っている人たち、食べるものを狩猟と採集で手に入れている人たちだ。食べるものを自分たちで育てているのは、農業を営んでいる人たちで、麦を栽培し、それでパンを作っているかもしれないし、リンゴの木を植えればリンゴの実を食べられる。もしかしたらニワトリも飼っていて、卵を食べ、ときどきはニワトリの肉も食べるだろう。

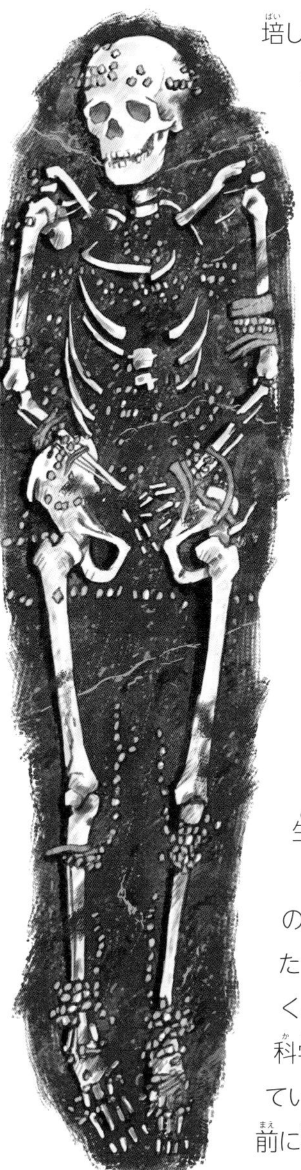

現代に生きる人のほとんどは2番目のグループに入り、食べるものを自分で育てず、お金を払って買う。おなかがすいたらお店に行って、パンとリンゴと卵を買うんだ。さもなければ携帯電話でピザを注文する。

石器時代の祖先たちは3番目のグループに入る。食べるものを育てたり買ったりはせずに、狩猟と採集で手に入れた。これはすべての動物がしていることと同じだ。**キリンは木を植えないし、ライオンはスーパーマーケットでキリンのステーキを買うこともない。**キリンはサバンナに自然に生えた木の葉を食べ、ライオンは狩りをしてキリンをつかまえる。同じように、私たちの祖先も野生の植物を集め、野生の動物をつかまえた。だからその祖先たちは、「狩猟採集民」と呼ばれることが多い。短く「採集民」と呼ばれることもある。自然に生えた食べものを採集していたからだ。

今でもまだ狩猟と採集で食べものを手に入れている人々のグループが、世界じゅうにいくつか残っている。その人たちは家にも町にも住まず、工場やオフィスで働くこともなく、ほとんどが人里離れたジャングルや砂漠で暮らしている。科学者たちはその人たちのもとを訪ね、どんなふうに暮らしているかを観察し（暮らし方を研究することによって）、何千年も前に私たちの祖先がどんなふうに暮らしていたかをつきとめようとしている。

もちろん、今の時代に採集民として生きている人は、石器時代の人々と同じように生きているわけではない。町から最も遠く離れた砂漠やジャングルで暮らしている採集民であっても、石器時代ではなく、現代の世界の一員だからね。たとえば、採集民の子どもたちが両手を大きく横に広げ、飛行機のエンジンのような声をあげながら、グルグル円を描いて走っていることがある。ただその様子を目にしたからといって、石器時代に飛行機があったことにはならない。ただ、現代の採集民たちは空を飛ぶ飛行機を見たことがあるというだけだ。それでも現代の採集民をじっくり観察してみれば、石器時代の暮らしがどんなものだったかについての手がかりを、少しは得られるにちがいない。

死んだらどうなるの？

そこでつぎに、考古学的な証拠と現代の採集民の観察という２つの方法を用いて、石器時代の人々がどんな暮らしをしていたかを考えてみることにしよう。

知っておかなければならないいちばん大切なことは、**暮らし方はひとつだけでなく**、いくつもの異なる暮らし方があったという点だ——みんなが同じことをしていたわけではない。世界には何千という異なる集団があって、それぞれが異なる言語、異なる文化、異なる種類の家族をもち、異なる暮らし方をしていた。

さまざまなちがいがあった理由としては、まず、人々がさまざまに異なる場所に住んでいたために、あらゆる種類の地形や気候になじんだ暮らしをしなければならなかった点をあげられる。川の近くで暮らしていた人たちは、魚をたくさん食べ、舟の作り方をおぼえたのに対して、高い山の上で暮らしていた人たちは、泳ぐ方法さえ知らなかっただろう。熱帯の森に住んでいた人たちは、ほとんどいつでも裸のまま暮らしていたけれど、北極の近くに住んでいれば、厚い毛皮のコートを着て暮らさなければならなかった。

ただし、となりどうしの集団が、大きく異なる暮らし方をしていたこともあるだろう。それは、それぞれが世界についてそれぞれ大きく異なる物語を語りついでいたからだ。物語を語れることは、サピエンスがほかの動物にまさる、大きな強みだったことを思いだしてほしい。ミツバチは、どの群れで暮らしていてもだいたい同じような行動をするのに対して、**人間の集団はそれぞれに異なった暮らしをしていた**。それぞれに異なる物語を信じていたからだ。

たとえばある集団は、人が死んだあと、新しく赤ちゃんになって、もしかしたら何かの動物になって、生き返ると信じていたかもしれない。でも別の集団は、人が死ぬと幽霊になると信じていたかもしれない。また別の集団は、どっちの考えもばかげていると思っていたかもしれない。そしておそらく、こんなふうに言っていた──なんてくだらないことを考えるんだろうね、人は死んだらいなくなって、それでおしまいさ。

もしかしたら、ある集団では全員がひとまとまりでいっしょに暮らし、近くの別の集団の人たちはそれぞれ小さい家族ごとに暮らしていたのかもしれない。ある集団には、男の人が別の男の人と結婚してもかまわないけれど、ひとりの人が何人もの人と結婚することは許さないというきまりがあったかもしれない。一方、別の集団には、ひとりの男の人がふたりでも 10 人でも好きな数の女の人と結婚できるけれど、別の男の人とは結婚できないきまりがあったかもしれない。さらに別の集団の人たちは、結婚というものの意味さえ知らなかったかもしれない。そこではだれかを好きになれば、さわぎたてることもなく、ただいっしょに暮らせばいいだけだ。

芸術や、人々が交流する方法にも、さまざまなちがいがあっただろう。ある集団は美しい洞窟壁画を作り、一方の近くの集団は絵をまったく描かなかったかわりに、**何時間も歌って踊りつづけたかもしれない**。ある集団はとても乱暴で、いつもけんかばかりしていたかもしれず、別の集団はとてもおだやかで、人々はだれにでも親切だったかもしれない。

ネアンデルタール人や、そのほかの人類に対する態度も、さまざまに異なっていたかもしれない。もしかしたらある集団の子どもたちは、ネアンデルタール人はおそろしい人たちだから憎むようにと教えられ、「森でネアンデルタール人の子どもに出会ったら、できるだけはやく走って逃げなさい」と言われていたかもしれない。もしかしたら別の集団は、近くのネアンデルタール人ともっと仲よくできていて、どうしても遊びたいと思えば、ネアンデルタール人の子どもといっしょに遊んでよかったかもしれない。そして 3 番目の集団の場合は、ネアンデルタール人と結婚することもでき、結婚してもだれにも何も言われなかったかもしれない。

採集民の集団は、それぞれ異なる方法で世界を見て、異なる方法で生命を扱っていたとはいえ、世界じゅうの人々に共通していることもいくつかあった。とりわけ、どこにいる人たちも、とてもおおぜいで協力することができた。

オハロのような小さい野営地は、およそ20人から40人ほどの人がいつもいっしょに暮らす、ひとつだけの小さい集団の家だったのだろう。けれどもこの小さい集団は、いくつかが集まって、もっと大きい集団を作っていたのかもしれない。**その大きい集団には、全体として何百人もの人々がいた可能性がある。**大きい集団の人たちは、みんなが同じ言葉を話し、同じ物語を信じ、同じ規則に従った。そのような大きい集団は、現代の国とはまったくちがうもので、政府も、軍隊も、警察もなかった。それでも大きい集団の仲間に加わっていると、よいことがたくさんあった。

250本のキツネの歯

たとえば、ある小さい集団が山奥で暮らしていて、その山にはよく切れるナイフを作るのにぴったりの石があったとしよう——山で暮らすその集団は湖のほとりで暮らすオハロの小さい集団に、その石を分けてあげることができた。そしてお返しとして、オハロの集団から貝と魚を分けてもらえた。また、オハロで暮らす女の人が魚とりの網を作る新しい方法を考えだしたら、そのやり方を湖のほとりで暮らす別の小さい集団の人たちにも教えることができた。もしもある年に、湖の魚がみんな病気になって死んでしまい、少しもとれなくなったとしたら、湖のほとりで暮らしていた集団はしばらくのあいだ山の集団といっしょに暮らすことができた。そして別の年には日照りがつづき、山の泉がすっかり干上がってしまったとしたら、山で暮らしていた集団は湖のほとりで暮らす仲間のところを訪ねていけた。だから、ひとつの大きい集団の仲間に加わることによって、みんながよりよく切れるナイフをもち、よりよい魚とりの網を使い、苦しいときにより多くの食べものを手に入れることができたわけだ。

でも、**そもそもそのような大きい集団というものがあったことがどうしてわかるのか、不思議に思っているかもしれない。**広い地域に散らばっていた何百人もの人たちが、ときどきおたがいに協力しあったという証拠が、どこかにあるのだろうか？　それはたしかに、あるんだ。では、その証拠の例をひとつあげることにしよう。海から何百キロメートルも離れた石器時代の野営地を調べている考古学者は、そこで貝殻を見つけることがとても多い。**その貝殻は、どうやってそこまでたどり着いたのだろう？**　内陸の奥地で暮らしていた小さい集団は、海の近くで暮らしていた別の小さい集団から手に入れた可能性が最も高い。

もうひとつの重要な証拠は、ロシアのスンギルと呼ばれる遺跡で見つかった。そこでは考古学者が3万4000年前の墓を発見している。人間の骨だけが埋められていた墓もあった一方、あるひとつの墓では40歳の男の人の骨が、マンモスの牙で作られた3000個ものビーズでおおわれていた（マンモスは毛のはえた、とても大きなゾウの仲間で、石器時代にはアジアの北部、ヨーロッパ、アメリカに住んでいた動物だ）。その人はほかにも、**手首に25個の牙でできた腕輪**をつけ、頭にはキツネの歯で飾られた帽子をかぶっていたようだ。帽子は動物の皮か毛皮で作られたらしかったが、もうあとかたもなく消えてしまい、残っていたのはキツネの歯だけだった。

それから考古学者たちは、そこでもっと興味深い墓を見つけている。いくつかのきれいな美術品といっしょに、ふたりの子どもが頭と頭を寄せあうようにして埋められた墓だ。ひとりは9歳くらい、もうひとりは12歳くらいの男の子だった。どちらもマンモスの牙で作られた腕輪をたくさんつけていたほかに、9歳の子はおよそ5400個、12歳の子はおよそ5000個の牙のビーズでおおわれていた。12歳の子は、キツネの歯で飾られた帽子、250本のキツネの歯で飾られたベルトも身につけていたんだ。石器時代のスンギルでは、**キツネの歯が最新流行だった**ようだね！

これを、どう説明すればいいのだろうか？　なぜ、一部の墓にはそんなにたくさんの貴重な品々がいっしょに埋められ、そのほかの墓には骨だけが埋められていたのかな？　最もかんたんに考えるなら、40歳の男の人は大きい集団の大切なリーダーで、ふたりの子どもたちはその子または孫だったから、その墓には特別に飾りがほどこされていた、と説明できる。科学者たちも長いあいだそう考えてきた。ところが、これら3人の骨からようやくDNAの指示書を読み取れるようになり、よく調べてみると、ふたりの子はきょうだいでもいとこでもなかったし、男の人はそのお父さ

んでもおじいちゃんでもなかった。

そこで、**別の説明もできる**。もしかしたらこの集団は奇妙な物語を信じていたために、雲の上の偉大なる霊を喜ばせるために、男の人とふたりの子どもたちを生けにえとして捧げたのかもしれない。もしかしたら、この3人を生けにえとして霊に捧げれば、霊は狩猟のときにたくさんのマンモスを送りこんでくれると信じていたのかもしれない。たしかなことはわからないけれど、ひとつのことだけははっきりしている。これら3人の骸骨といっしょに墓に埋められていた貴重な品々を、すべて用意するためには、何百人もの人たちが力をあわせて働かなければならなかったということだ。

大きいほうの子が身につけていたベルトをくわしく見てみることにしよう。それは250本ものキツネの歯を用いて作られていて、しかもただの歯ではなかった。歯のなかでも、長くて鋭い犬歯だけが選ばれていたんだ！　**キツネ1匹に、犬歯は4本しかない**——何かがあって犬歯が抜けてしまっていれば、もっと少なくなる。さあ、計算してみよう。この男の子のベルトを作るためには、何匹のキツネをつかまえる必要があるのかな？　ずいぶんたくさんになるね。250本のキツネの犬歯を手に入れるためには、少なくとも63匹のキツネをつかまえて、その歯を抜かなければならない。大仕事だ！　キツネはとても利口な動物だから、1匹つかまえるだけでも1日か2日はかかっただろう。もしそうなら、歯を集めるだけでも2か月以上かかってしまうことになる。

では、マンモスの牙のビーズはどうだろう。これを作るには、まずマンモスをつかまえる必要があるわけで、それはもちろんキツネの場合よりずっとたいへんだね。マンモスは、大きければ背中までの高さが4メートル、重さは12トンもある。ふつうのスクールバスと同じくらいの重さだ。だからひとりではつかまえられない。マンモスの狩りには集団の全員が参加する必要があったんだ。

マンモスをなんとかつかまえたら、次はその牙を削ってビーズにしなければならなかった。腕のよい職人でも1個のビーズを作るのに、およそ45分はかかっただろう。9歳の子はおよそ5400個、12歳の子はおよそ5000個、男の人はおよそ3000個のビーズで飾られていたのだから、これだけの数のビーズを作るには、**1万時間ものあいだ、いっしょうけんめいに**働かなければならなかった。1日に6時間ずつ、1日も休まずに働いたとして、4年半もかかった計算だ。

スンギル遺跡の墓で見つかったすべてのものを、10人や20人の人たちだけで作れたとは思えない。おそらく何百人もの人々が、仕事に加わったことだろう。つまりスンギルの墓は、少なくとも3万年前にはすでに一部の人々が大きい集団に属していたことを示す有力な証拠になる。

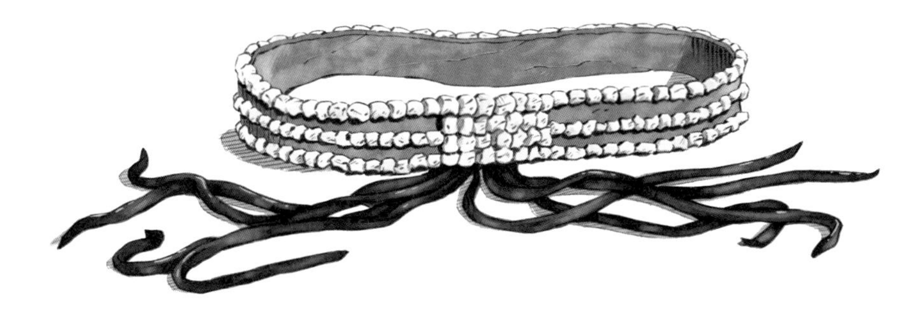

小さい集団で暮らす

このように、石器時代の人々は大きい集団に属していたようだけれど、その全員がいつもいっしょに暮らしていたわけではないことがわかっている。それほどたくさんの人が集まっていると、十分な食べものを見つけるのは難しかったから、もっと小さい集団にわかれ、それぞれが別々の場所に行って食べものを探したんだ。だから、ひとつの大きい集団はいくつかの小さい集団で構成され、ある集団には 100 人の人がいても、別の集団にはたった 10 人しかいないこともあっただろう。

人々はおそらくほとんどの時間を、それぞれの小さい集団ですごし、食べものを探してあちこちを移動していたにちがいない。**すべての集団がみんなで集まる**のは、特別な場合だけだった。たとえば、大切な人物が亡くなるようなことがあれば、みんなが集まって葬式をしたことだろう。また、大きな動物の狩り、強い敵との戦い、大切な祭りなどの機会に、集まって力をあわせることがあったかもしれない。それでもほとんどの人たちは、自分の小さい集団に属している人以外には、だれにも会わずに何か月もすごしていた。

同じ集団に属している人たちはみんな、おたがいをとてもよく知っていた。いつも家族と友だちに囲まれて、ほとんどのことを、みんなでいっしょにしていたんだ。みんなでいっしょに森に行って食べものを探し、いっしょに料理をして食べ、いっしょにたき火を囲んで物語を話した。**こんな暮らしがとてもすてきだと思う人がいるかもしれない。**一方で、ひとりになる時間がないうえに、いつも同じ人ばかりに会っているのは、好きじゃないと思う人もいるだろう。それでも、同じ集団の人たちにうんざりしたら、別の集団に移ることもできるのがふつうだった。大きい集団の祭りで別の集団のだれかと仲よしになれば、その友だちが自分の集団にきていっしょに暮らすことも、自分が友だちの集団に行っていっしょに暮らすこともできた。

小さい集団には力のあるリーダーがいるわけではなく、何かを命令されることもなかった。何かを決めなければならないときには、たとえばどっちの道に進むべきか、野営地をどこにするかなど、全員が思っていることを言えた。**もし、自分は偉いと考えた人が威張りはじめ**、自分のために次々にキツネの歯の帽子を作れとみんなに命令したりすれば、仲間はだれもいなくなり、威張った人は置き去りにされた。現代の世界では、だれかが独裁者になると、人々が国を立ち去るのはとても難しい。でも石器時代の人たちは、いつでも足で投票することができた（つまり、賛成ならその場に参加し、反対ならその場を立ち去って、自分の意見を伝えることができたんだ）。

偉大な採集民たち

考古学と、現代に生きる狩猟採集民の観察によって、石器時代の暮らしについてほかにはどんなことがわかるだろうか？　現代の狩猟採集民は、いつも同じ場所にとどまっているわけではない。石器時代の集団もおそらく動きまわって食べものを探していた。川に魚がいるときには、川に行って魚をつかまえた。イチジクが熟す季節には、森に行ってイチジクを探した。たいていは同じ縄張りを行ったりきたりしていて、その縄張りが自分たちの「わが家」だったんだ。**「わが家」と言っても、石で作った家や、村のことではない。**それは、山がそびえ、森が茂り、川が流れる、とても広い場所だった。

きみは、「わが家」の端から端まで歩くのにどれくらいの時間がかかる？　たいていの人は1分以内だろうね。大きなお城で暮らしているとしても、5分以内じゃないかな。でも、石器時代の私たちの祖先の「わが家」では、一方の端から反対側の端まで歩くのに、およそ1週間はかかっていたんだ。

ときには、その場所でとてもたくさんの食べものが見つかって、ひとつ以上の小さい集団が何か月も、場合によっては1年間ずっと、暮らせることもあった。そんなことが最もよく起きるのは、湖や川に近く、魚やカキが豊富で、鳥もたくさん飛んでいるようなところだった。そうした場所では、ずっと住みつづける家を建てて、村を作ることもあったらしい。

またときには、小さい集団の全員に行きわたるだけの十分な食べものが手にはいらず、ひとつの集団が2つにわかれることもあった。一部の人たちはそれまでの「わが家」に残り、ほかの人たちはそこを離れると、新しい「わが家」を見つけるまで歩きつづけたんだね。ときには小さい集団の全員が「わが家」を捨てなければならないこともあった。その原因は自然災害のことが多い。もしかしたら、日照りが長くつづいて川が干上がってしまい、木は枯れ、食べるものがなくなったのかもしれない。そうなるとその人たちはとても長い距離を歩いて、食べるものを見つけなければならなかっただろう。そうやって、**私たちの祖先は少しずつ、世界じゅうのいたるところに散らばっていった。**

採集はとても興味深い暮らし方で、人々は毎日毎日、ちがうことをしていた。みんなでたくさんの種類の植物を集め、おいしい味のするいろいろなイモムシや昆虫を探してつかまえ、道具や小屋を作るための石や木や竹を集めた。ときどきはマンモスやバイソンのような大型動物の狩りもした。ただしそれは難しくて、危険で、おおぜいの人たちが力をあわせなければならない仕事だったから、特別な日のための、とっておきのものだったんだ。それでも、子どもふたりだけだって1時間をかけて森をくまなく探せば、たいてい野生のニンジンやタマネギをいくつかは見つけることができた。木にのぼれば鳥の巣から卵を盗むこともできたし、竹を切り倒して釣り竿を作ることもできた。

私たちの祖先はほとんどいつも採集民としてすごし、狩りをする機会はとても少なかった。しかも、ただ食べるものと石と薪を集めるだけでなく、知識も集めていたんだ。学校に行ったり本を読んだりすることはなくても、**いつも学習していた**。あらゆるものについて学ばなければ、生き残ることはできなかったからね。

第一に、自分たちの縄張りをくわしく知っている必要があった。水のある場所を知らないと、のどがカラカラになってしまうし、食べもののありかを知らないと、おなかがペコペコになってしまう。暗い森の歩き方を知らなければ、足をふみはずして骨折してしまうかもしれない。採集民は同じ森を抜け、同じ丘をこえて、何度も何度も歩いていたので、やがて泉のひとつずつ、木の1本ずつ、石の1個ずつに慣れ親しむようになっただろう。**こうしたものがみんな、長いつきあいの友だちのようになった。**きみは自分の家のトイレや冷蔵庫、それからナイフやフォークが入っている引き出しの場所を、夜中でもわかるよね？　それと同じように採集民たちも、おいしい水を飲める泉、大きなクルミの木、尖ったかたい石がある丘を、暗い夜でも見つけることができた。

採集民は、自分のまわりの植物と動物についてもよく知っていた。どこにキノコがよく生えるかを知っていただけでなく、食べるとおいしいキノコ、食べれば命にかかわる毒キノコ、病気を治す薬のキノコを見分けることもできた。それに、鳥たちが卵

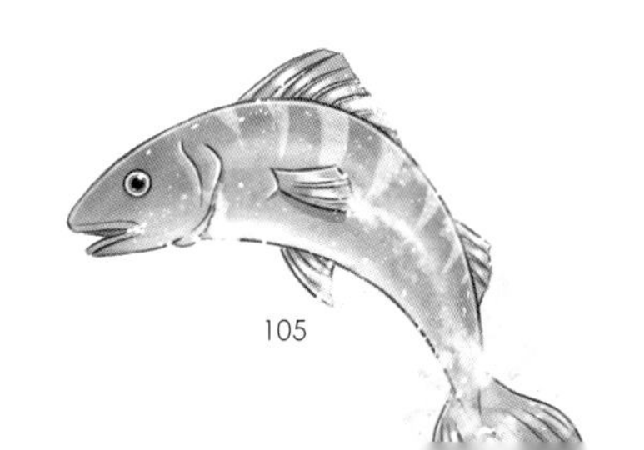

を産む季節も、それぞれの鳥が好んで巣をかける場所も、よく知っていた。クマがよく姿を見せる場所も、もしも大きなクマに追いかけられたらどうすればいいかも、じつによく知っていたんだ。

採集民は、もの作りの名人でもあった。私たちは、ナイフや、靴や、何かの薬が必要になれば、お店に行って買うことになるね。でもそれをだれが、どうやって作ったかは、知らないのがふつうだ。もしかしたら地球の裏側からやってきたものかもしれない。でも石器時代には、だれでも自分のものは自分で作る必要があった。ナイフがほしければ、まずかたいうえに加工しやすい石がどこで見つかるかを知っていなければならない。つぎにその場所に行き、探し、たくさんの石を手にとって調べる。1個ずつをよく見て、形を確認し、重さと手ざわりを感じる。ここまではかんたんだろう。こうしてぴったりの石が見つかったら、そのあとが腕の見せどころになる。

まず、選んだ石を別の石か木の切れ端で根気よく叩いて、石のかけらを少しずつ削ぎ落とし、縁の部分を鋭くしていく……石全体を割ってしまわないように、細心の注意が必要な作業だ。**現代人が石器づくりに挑戦すると**、たいていは石を何十個も割り、自分の指も1本か2本は叩いて痛い思いをしてから、ようやくできあがる。ナイフを1本作るのに、何日とは言わないまでも何時間かはかかってしまうだろう。でも採集民はわずか数分で、石から鋭いナイフを作ることができた。採集民は小さい子どものころから練習していたんだから、あたり前だね。

大昔のたき火のあとを研究している考古学者たちは、いくつかの興味深い点に気

づいている。まず、火に近い場所では、石の小さいかけらがたくさん見つかったのに対して割れた石はわずか数個しかなかった。一方の火から遠い場所では、石の小さいかけらが同じようにたくさん見つかり、そのうえ、割れた石もたくさんあった。なぜだろう。きみはどう思う？

どうやら、おとながたき火の近くにすわっていたようだ。おとなはナイフ作りがじょうずだったから、失敗して石を割ってしまうことがほとんどなかった。でも、たき火から離れた場所にすわっていた子どもたちは、まだこの技術を学んでいるところだったので、きちんとしたナイフを作れるようになるまでに、たくさんの石を割ってしまったというわけだ。

こうして採集民は、自分たちのまわりにある動物、植物、石について学んでいた。それに、自分自身の体について、またその使い方についても、とてもよく知っていた。**採集民たちは、聞くのも、見るのも、動くのも、私たちよりはるかにすぐれた力をもっていた。**森を進みながら、足もとの草のわずかな動きにも耳を傾けた――すぐそこをヘビが這っていったようだ。スルスルスル……。

まわりにある木々に目をこらして、葉っぱのあいだに隠れているくだもの、ハチの巣、鳥の巣を見つけることができた。空気を鼻で吸いこみ、トラが近づいてくるのか、シカが逃げていくのか、においで嗅ぎ分けることができた。ベリーを口に入れ、どんな味がするかをしっかり考えた――せっけんの香りがかすかにするかしないかが、毒のあるベリーと安全なベリーのちがいだ。だれかが弓を作りたいと言えば、たくさんの木や枝の表面に指をやさしく走らせながら、さわり心地と重さをこまかくたしかめた――**枝の１本１本が、手ざわりという言葉で話しかけてくれた。**ツルツルか、ザラザラか。やわらかいか、かたいか。そうやって、どの枝が折れやすく、どの枝からよい弓ができるかを区別することができたんだ。

歩くときには、危険な動物に気づかれないように、ほとんど音をたてなかった。走るときには、どんなに荒れた地形でも岩や丸太を飛びこえ、木やとげだらけの藪をよけながら、全速力で進んだ。すわるときには、指を動かしたり鼻の頭をかいたりすることもせずに、ずっと同じ姿勢のままで長い時間すわりつづけることができた。ただじっと見つめ、じっと耳を傾けながら。

つまり、**採集民は何から何まで、すっかり知っていた！**　みんなは、今の人たちは大昔の人たちより、ずっとたくさんのことを知っていると思うかもしれないね。もちろん科学の進歩でわかったことはたくさんある。自動車も、コンピューターも、宇宙船も作れるようになった。でも、ひとりひとりが知っていることは、ほんとうは減ってしまっているんだ。きみは自動車を作れるかな？　コンピューターは？　宇宙船は？　こうしたものが作られている工場でも、そこにいる人のひとりひとりは、ふつうはひとつの、ほんの小さいことのやり方を知っているだけだ。タイヤを作る機械を動かす方法を知っていても、エンジンやハンドルやヘッドランプの作り方を知らない。

どんな職業でも同じことが言える。飛行機を飛ばしたり、この本のような歴史の本を書いたりするには、どんなことを知っていなければいけないだろう？　まず、ひとつのことについては、とてもたくさんの知識が必要だ。けれど、ほかのことは別の人たちの助けを借りることになる。そして別の人たちもみんな、ひとつのことについてだけ、とてもたくさんの知識をもっている。歴史の本を書く人は歴史についてとてもよく知っているから、「歴史家」と呼ばれる。けれども歴史家は、食べるものがどうやって作られているかや、洋服の作り方、自分の家の建て方については、あまりよく知らない。歴史家が本を書くと、人々がその本を買って、歴史家はお金を受け取る。それから食べるものや洋服や住む場所を買うときに、もっているお金を別の人に払う。歴史家がジャングルにひとりぼっちで置き去りにされたら、飢え死にするか、トラに食べられるか……だって歴史の本の書き方だけ知っていても、ジャングルではあまり役に立たないからね。

楽しかったあのころ

石器時代、自分のまわりの世界のことをよく知っていた採集民は、とてもよい暮らしを送ることが多かった。ほんとうのことを言うと、そういう採集民は、今の人たちほど忙しく働かなくてもよかったんだ。

現代の工場で働いている人の、ごくふつうの1日について考えてみることにしよう。朝の7時ごろに家を出ると、混みあったバスに揺られて空気の悪い道路を進み、騒々しい大きな工場に着く。そこで10時間ものあいだ、機械を動かして同じことを何度も繰り返し、それからまたバスに揺られて、夜の7時に家に帰る。もしかしたら、それから家族のために食事を作り、食器を洗い、洗濯と掃除をし、支払いをすませなければならないかもしれない。

2万年前、採集民の女の人は朝の8時になると、友だちといっしょに野営地を出発しただろう。そして近くの森や草地を歩き、ベリーを集めたり、木にのぼってくだ

ものをとったり、土のなかから根を掘りだしたり、魚をつかまえたり、ときにはトラに追われて逃げたりした。お昼の 12 時ごろになったら、野営地に戻ってお昼ごはんを作って食べる。それでおしまい。**1 日にする仕事は、それだけだった。**腕のよい採集民なら、ふつうは 3 時間から 4 時間で自分と家族が食べるのに十分な食べものを見つけることができた。それに、お昼を食べたあとには、洗うお皿も、洗濯する服も、掃除する床も、支払いの必要もなかった。だから、うわさ話をしたり、物語を語ったり、子どもと遊んだり、友だちどうしでブラブラしたりする時間が、たっぷり残されていたんだ。もちろん、ときにはトラにつかまって食べられてしまうことも、ヘビにかまれることもあったけれど、交通事故や公害になやまされることはなかった。

採集民はたいていの場合、現代の工場で働く多くの人たちより上質で変化に富んだ食べものを食べていて、飢えや病気に苦しむことも少なかった。採集民の骨を調べた考古学者たちは、**その骨がとても頑丈で健康的なこと**を発見したんだ。それは、**いろいろな種類のものをたくさん食べていたから**だろうと考えている。ある日は、朝ごはんにベリーとキノコを食べ、昼ごはんにくだものとカタツムリとカメ、夜ごはんに焼いたウサギの肉と野生のタマネギを食べたかもしれない。つぎの日は、朝ごはんに魚、昼ごはんにたくさんの木の実と卵、夜ごはんは木に実った山ほどのイチジクだ。こうしてさまざまに異なるものを食べていたので、必要なすべてのビタミンとミネラルをとることができた。ナッツには大切なビタミンが含まれていなかったとしても、キノコやカタツムリにはたしかに含まれていたからね。

　また、採集民は何か１種類の食べものに頼っていなかったので、飢えに苦しむことはほとんどなかった。その後、人々が農業をはじめると、たいていは１種類の作物を栽培することに専念するようになる。きみは、麦畑やジャガイモ畑や田んぼを見たことがあるかな？　麦畑には麦だけ、ジャガイモ畑にはジャガイモだけが植わっていて、田んぼには、どこまで行っても稲ばかりだ。こうすると、農業を営む人にとって作物の手入れをするのがかんたんにはなるけれど、人々が食べるものは、限られた種類だけになってしまう。稲だけを育てているなら、**朝ごはんに米、昼ごはんにも米、夕ごはんにもまた米**を食べなければならなかった。そして田んぼで何かの病気がひろがって、稲がすっかり枯れてしまえば、食べるものは何もなくなる。歴史を見ると、そういう災害はよく起きているから、農業を営む人たちはいつも飢えの危険にさらされていたことがわかる。

　でも、採集民はずっと安全だった。災害が起きて、ひとつの地域で野生のタマネギがすっかり枯れてしまったり、ウサギが全滅してしまったりすれば、採集民もたいへんな思いをしたけれど、たいていはほかにも採集や狩猟で手にはいるものがあった。今年は、焼いたウサギの肉に野生タマネギのソースをかけて食べることはできないのか……それはざんねんだ。でも、そのかわりに、もっとたくさんベリーをつんで、もっとたくさん魚をつかまえればいいさ！

　こうして採集民が健康だったのは、じつは、たくさんの種類のものを食べていたからだけではない。**そのころには、感染症（うつる病気）というものが、まだほとんどなかったからでもある。**私たちが知っている感染症のほとんど、たとえば天然痘、はしか、インフルエンザなどは、動物から人間に伝わったものだ。インフルエンザは、ニワトリやアヒルや、そのほかの鳥からうつった。はしか、結核、炭疽病は、もともとはウシやヤギなどの家畜から人間にうつった病気だ。とてつもなく広まった新型コロナウイルスも、はじまりはコウモリからだった可能性があると考えられている。そして今、私たちはたくさんの人が暮らす村や大都市に住んでいるから、ひとりの人にニワトリやコウモリのウイルスが感染すると、まわりの何千人という人たちにも、またたくまに広まってしまうんだね。

　大昔の採集民は、動物に触れる機会がとても少なかった。じっさいには狩猟をして動物を捕らえていたけれど、家畜として飼ったり、市場で売ったりはしていなかった。ニワトリ小屋をもっている人も、ヒツジの群れを飼っている人も、まだいなかったんだ。

それに採集民たちは小さい集団で暮らし、いつも移動を繰り返していた。だから、もし動物からだれかに新しい病気がうつったとしても、その人が同じ病気をたくさんの人たちにうつすことはなかった。

それなら、**石器時代は、これまでで最高の時代だったのだろうか？**　もしもタイムマシンがあって、自分の好きな時代に行ってみることができるなら、タイマーを石器時代にあわせるのがいちばんいいのかな？　たしかに、そうする人もいるだろう。その人たちは、人々が森や草地を自由に歩きまわり、「学校」というのは弓と矢で遊ぶこと、「仕事」というのは森へのハイキングのことだった時代を夢に見ている。でも、タイムマシンのボタンを押す前に、ちょっとだけ石器時代の採集民の集団に加わり、その暮らしのたいへんなところも覗いて、どんなことをするのか知っておくほうがいいと思うな。たしかに、たいへんなところもいくつかあったのだから。

苦しかった
あのころ

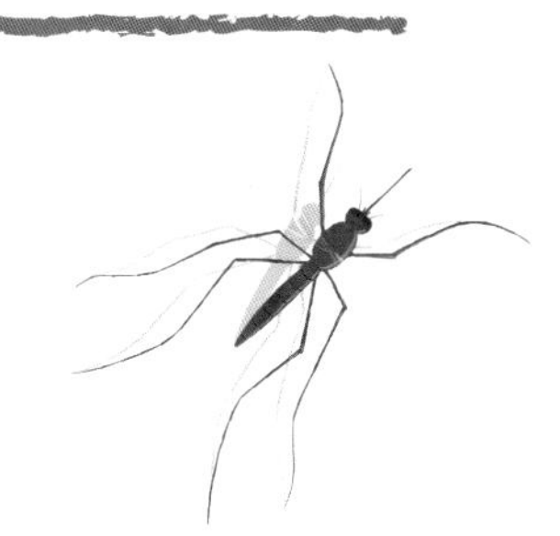

まずは、昆虫のような小さいところからはじめよう。石器時代の人たちは、いつも昆虫になやまされていた。そんなのはたいしたことないように聞こえるかもしれないけれど、自分でためしてみることもできるから、やってみるといい。暖かい季節なら外に出て、安全にごろんと横になれる場所を見つける。どこかの木の下はどうかな。そうやって、**しばらくじっと動かないでいてみよう**。指先ひとつ動かしてはいけないよ。耳をかくのもだめだ。ただ寝ころんで、じっと待っていること……。

そんなに長いあいだ待たなくても、勇敢なアリが、すぐきみの脚の上にはいのぼってくるだろう。それに、蚊も耳のまわりを飛びまわり、うるさいハエも鼻の頭にとまる。クモもいるぞ――でも、動いてはいけない！　ただじっと横になって、動かないこと。そのまま1時間がまんしたら、木の下や間にあわせの小屋みたいな昆虫だらけの場所で眠らなければいけない時代に、ほんとうに戻りたいかを考えてみよう。しっかりした壁と窓に守られた家はなかったことを、思いだしてほしい。

もちろん、問題は昆虫だけではない。**いつもいつも、トラやヘビやワニの心配をしていなければならなかった。**テレビでトラを見ても、たとえ生きているトラを動物園で見ても、きっときみは安心しているね。トラはテレビから出てくることなんてないし、動物園のおりから逃げだすこともないからだ。でも、もしトラが家の近所をうろついていたらどうだろう？　へいきで家の外に出て、歩いて学校に行ったり友だちと遊んだりできるだろうか？

それから、天気の問題もある。雨がふれば採集民は濡れるしかなかった。それもびしょ濡れだ。冬は寒かったし、夏は暑かった。一日じゅう洞窟の奥深くに隠れていることもできない。食べるものを探しにいかなかったり、食べるものが見つからなかったりしたら、おなかがすいてしまうからね。

悲しいことに、事故もよく起きた。採集民には病院も、今あるような薬もなかったから、**ちょっとした怪我でもとても危険だった**。たとえば、木にのぼってくだものをとっていた男の子が、木から落ちて、足の骨を折っても、1か月のあいだずっとベッド

で寝ていることなんてできなかったよ。そもそも、ベッドがなかったしね。仲間のみんながで きるだけ男の子を助けてはくれても、新しい野営地に移動するときに遅れないでついていけなかったり、トラが見えても逃げることができなかったりすれば、大ピンチだ。

なかでも子どもたちは、たくさん危険な目にあっていた。子どもは強く大きく成長するために、たくさん食べなくてはいけないのに、木のぼりもそれほどじょうずにできなかったし、危険な動物から逃げるのもうまくなかった。毎日が新しいテストの連続だ。月曜日には「ヘビに気をつける」テスト、火曜日には「暗い森で目的地にたどり着く」テスト、水曜日には「マンモス狩り」のテストがつづく。さらに木曜日には「凍るほど冷たい川を泳いでわたる」テスト、金曜日には「食べられるキノコと毒キノコを見分ける」テスト。週末にも休みなんかない。土曜日には「木のぼり」のテストで、日曜日には「ミツバチの群れにさされずにハチミツを盗む」テストだ。

テストに合格しないと、成績が悪いだけではすまない――死んでしまうかもしれなかった。

今の私たちの世界は、いろいろ言ってみても、そんなに悪くないかもしれないね！

動物たちに話しかける

アニメ番組を見たり、おとぎ話を読んだりしていると、木や動物が話をする場面がよく出てきて、小さい子どもたちは木や動物と話ができると楽しそうに信じている。そんな子どもたちは、私たちのまわりに幽霊や精霊がいて、私たちがすることを見張っていたり、屋根裏に隠れていたりすると思っているんだ。おとなたちは、そんなふうに考えるのはかわいらしくて、ゆかいだと思っている。でも子どもたちが大きくなるにつれて、幽霊や話をする木なんかいないと教えられるから、そういうことを信じるのは小さい子どもしかいない。

でも石器時代にはおとなも、木や動物はほんとうに話ができるし、幽霊と精霊はほんとうにいると信じていたらしい。森のなかを歩きながら、**採集民は藪や石に話しかけて**、ゾウやネズミから助けてくれるようにとお願いしていた。鳥の話にも、じっと耳を傾けていた。もしだれかが病気になったり、事故が起きたりすれば、幽霊のせいにして、精霊に何かよい方法はないかとたずねていたかもしれない。

そんなことが、どうしてわかるのかって？　そう、もちろんはっきりしたことはわかっていない。ふつうは、人々が何を考えていたかより、何をしていたかのほうがわかりやすいからね。たとえば、スンギルの人たちがマンモス狩りをしていたことははっきりわかっている。スンギルの遺跡からマンモスの骨が見つかっているからだ。でも、**スンギルの人たちはマンモスについて何を考えていたのだろうか？**　なかには動物を

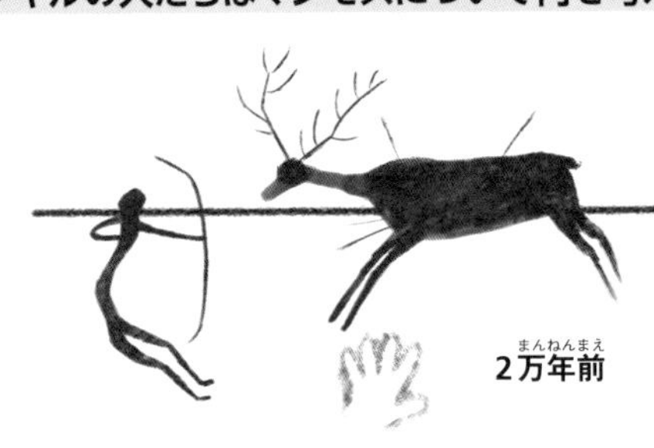

2万年前

殺すのは悪いことだと思う人もいただろうか？　そして、もし怒ったマンモスがだれかをふみつけて殺してしまったら、その人には何が起きると思っていたのだろうか？死んだ人は天国に行くと思っていたのか、それとも赤ちゃんに生まれかわると思っていたのか、幽霊になると思っていたのか……それとも、ただ暗闇に消えてしまうだけだと思っていたのか？

石器時代の人に考えを直接聞いてみることはできないから、これらの疑問に答えるのはとても難しい。今なら、イスラム教徒が何を信じているかを知りたければ、イスラム教徒のだれかにたずねることもできるし、イスラム教の聖典であるコーランを読むこともできる。キリスト教徒が何を信じているかを知りたければ、キリスト教徒のだれかにたずねることもできるし、キリスト教の聖典である聖書を読むこともできる。ヒンドゥー教徒が何を信じているかを知りたければ、ヒンドゥー教徒のだれかにたずねることもできるし、ヒンドゥー教の聖典であるヴェーダを読むこともできる。でも、石器時代の人々はイスラム教徒でもキリスト教徒でもヒンドゥー教徒でもなかった。これらの宗教が誕生したのは今から数千年前のことで、石器時代の人が信じることはできなかったからね。コーランが書かれたのは今からおよそ1500年前、聖書が書かれたのは今からおよそ2000年前、ヴェーダが書かれたのは今からおよそ2500年前だ。

2万年前に生きていた人たちは、読むことも書くこともできなかったので、石器時代に聖典と呼べるものはなかった。それでも、スンギル遺跡に残された墓や、シュターデル洞窟で見つかったライオンマンの彫刻、あるいはラスコーの洞窟で少年考古学者たちが発見したような洞窟壁画から、石器時代の人々の考えを知るいくつかのヒントを得られるだろう。ラスコーの壁画に、動物がたくさん描かれているのに神さまが描かれていない、少なくとも私たちにとって神さまと思えるような姿はどこにもないのは、興味深いことだ。だから、当時の人々は力のある神さまの存在を信じていなかったのかもしれない。

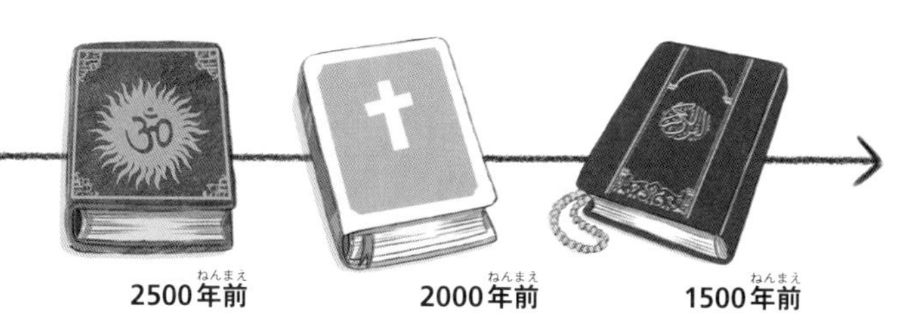

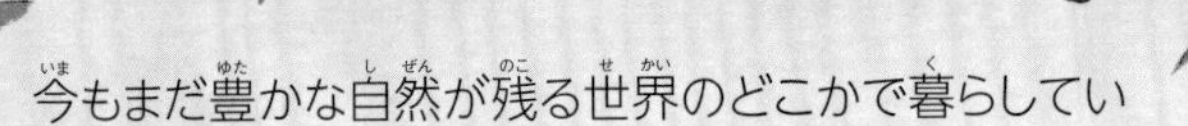

今もまだ豊かな自然が残る世界のどこかで暮らしている、現代の採集民のことをおぼえているだろうか？　石器時代の採集民が何を信じていたかを知りたければ、現代の採集民にたずねてみるのはよい方法だね。すると思ったとおり、現代の採集民の多くは力のある神さまがいるとは信じていない一方で、動物や木、岩までが話をできると信じ、**世界には幽霊と精霊があふれている**と考えていることがわかった。そこで科学者たちは、狩猟採集民の社会では（現代と石器時代のどちらも同じように）おとなも子どもも木や動物と話をできると信じていることが多いという結論に達した。

現代の採集民の例として、インド南部のジャングルで暮らすナヤカ人をあげることができる。ナヤカの人々は、ジャングルでトラ、ヘビ、ゾウのような危険な動物に出会うと、その動物にむかって直接、つぎのように話しかけるだろう。「お前は森で暮らし、私もこの森で暮らしている。お前はここに食べるためにやってきて、私はここに根やイモを集めるためにやってきた。私はお前を傷つけるためにきたのではないから、どうか私を傷つけないでおくれ」

かつてナヤカのひとりが、**「いつもひとりで歩いているゾウ」**と呼ばれていた雄のゾウに殺されてしまったことがある。そこでインド政府から役人がやってきて、そのゾウを捕らえようとしたところ、ナヤカの人たちはその役人たちの手助けをしなかったという。そして、そのゾウには暴れるだけの、もっともな理由があったのだと、つぎのように説明した。そのゾウにはとても仲よしの雄のゾウがいて、2頭はいつも連れ立って森を歩きまわっていた。ところがある日、悪い人たちがやってくると、その友だちのゾウを撃ち殺してどこかに連れ去ってしまった。それからというもの、「いつもひとりで歩いているゾウ」はとても寂しくなり、人間に対してひどく腹を立てるようになったのだ。ナヤカの人は役人にこうたずねた。「もしあなたが相棒を連れ去られたら、どう思うのか？　その気もちが、ゾウの感じたことだ。2頭のゾウは、ときには夜になると別の道を歩くこともあったけれど、朝になればいつもまたいっしょ

にいた。あのおそろしい日、ゾウは相
棒が地面に崩れ落ちるのを、じっと見つめて
いたんだ。いつもいっしょにいる2頭の生きものの、
片方だけを撃ち殺したら、もう一方はどんなふうに感じるだろうか？」

木に話しかける

　科学者たちは、動物も話すことができて岩や川にも魂があると信じることを「アニミズム」、そう信じている人々のことを「アニミスト」と呼んでいる。この言葉がどこからきたか、みんなにはわかるかな？　そう、ラテン語だ。ラテン語の「アニマ」は「精霊」や「魂」をあらわしている。精霊は、何かを感じることも、何かを求めることもでき、何を感じて何を求めているかについて、ほかの精霊と話もできる。アニミストにとっては、**木やゾウや花や石と話をするのは、ごく当然のことになる**。アニミストはこれらのものすべてに、精霊が宿っていると考えるからだ。
　アニミストは、たとえば丘のてっぺんにある大きなクルミの木にも精霊が宿っていると信じているかもしれない。その木は雨や太陽の光を楽しみ、人間が槍を作るためにその枝を切り落とすと怒ってしまう。木が幸せだと、クルミをたくさん実らせ、人間にもリスにもカラスにも実を分けてくれる。でも木が怒ると、クルミの実をつけるのをやめ、さらに悪いことに、人々を病気にもできる。いったいどうやって、そんなことができるのだろうか？　じつは、その木の精霊には友だちが山ほどいる。なぜなら、自分の木の枝に、あらゆる種類の小さい精霊や幽霊を住まわせているからだ。だからもし人間がその木の精霊を怒らせてしまうと、枝に住んでいる小さい精霊たちに、こう頼むらしい——その人の鼻や口に飛びこんで、のどを通って胃まで入りこみ、ひどい胃痛を起こさせるように！

その木はたしかに小さい精霊のすべてと話をできるけれど、人間ともじかに話をすることができる。そして人間もその木にじかに返事をできる。たとえば、その木を怒らせたために胃が痛くなってしまった人は、木に対して許してほしいとお願いできる。そして運がよければ、木が許してくれて、小さい精霊たちに胃を出て戻ってくるようにと伝えてくれるかもしれない。

もちろん、**木と話すのはかんたんなことではない**。まず、木の言葉をおぼえなければならず、それには時間がかかるし、根気も必要になる。中国語やスウェーデン語を１日でおぼえることができないのは、だれでも知っているね。同じように、木や石やカエルの言葉を１日でおぼえることはできない。ツリー語も、ストーン語も、フロッグ語も、複雑な言語なんだ。これらの言語は単語の集まりではなく、合図と音と動き、それに夢でできている。現代のほとんどの人は木と話すことはできないけれど、アニミストなら、それは木が話さないからではないと言うだろう。そうではなくて、人々が木の言葉を忘れてしまったからだと。

現代人のほとんどは、私たち人間が世界じゅうで最も重要な存在だと思っている。でもアニミストは、「精霊はみな平等だ」と信じることが多い。人間と木はどちらも同じくらい重要で、マンモスとカエルはどちらも同じくらい重要だ。**だれにでも世界に居場所があり**、全員に命令できる立場の者などいない。だからアニミストは偉大な神さまをあまり大事に考えていない。自分たちの話し相手になる精霊は、それぞれの場所にいる小さな精霊だ。もし丘のてっぺんにあるクルミの木から何かをもらいたければ、その木にじかに頼む必要がある。すべての木を代表する女神さまや、大空の偉大な神さまに頼むわけではない。直接話すことに意味がある。自分のお姉ちゃんや妹がもっているチョコレートを半分ほしいときと同じだ。そのときは、女神さまにお願いするのではなく、自分のお姉ちゃんや妹に、じかに頼まなくちゃだめだね！

アニミストにとって、世界を治める規則は、ひとりの偉大な神さまによって命令されるものではない。世界じゅうのあらゆる精霊が参加する、自由な話し合いの結果だ。人間と木とオオカミとそのほかのあらゆる妖精とが話しあって、それぞれがどんなふうに行動すればよいかを決めている。

石器時代のルール

採集民には、どんなルールがあったのだろうか？　ただし、どこに行っても同じルールがあったわけではない。空にいる、ただひとりの偉大な神さまが決めたものではないからだ。それぞれの地域には異なる動物や木や石があったから、そこにいる人

たちも異なるルールに従っていた。スンギルのルールはオハロのルールとはちがい、オハロで暮らしていた人たちのルールと、ラスコーやシュターデルで暮らしていた人たちのルールもそれぞれにちがった。ナヤカの人たちが今どんなルールに従っているのかは、直接聞いてみることができるから、私たちにもわかる。でも、スンギル、オハロ、ラスコー、シュターデルで大昔の人たちが従っていたルールについては、十分な証拠がなくて、はっきりはわかっていない。そして見つかった証拠についても、いろいろな説明が考えられる。

たとえば、下の絵を見てみよう。採集民が今からおよそ1万7000年前に、ラスコー洞窟の壁に描いたものだ。きみは、何を描いた絵だと思う？

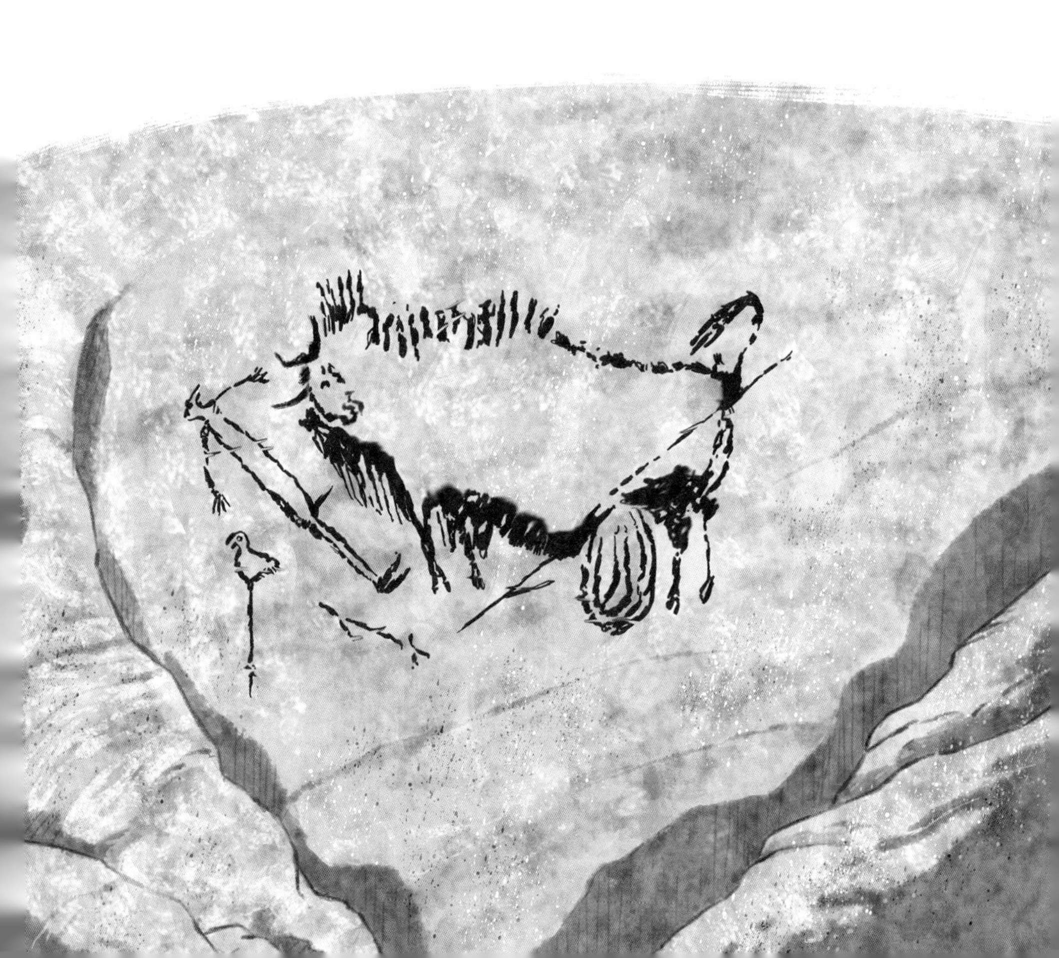

鳥のような頭をもつひとりの男の人がいて、そのとなりにはバイソンがいて、男の人の下には別の鳥がいると考える人が多い。そんなふうにも見えるね。でも、描いた人は**それで何を言おうとしていたのだろう？**　一部の考古学者は、バイソンが男の人を襲い、男の人が倒れて死んだ場面だと考えている。下に描かれている鳥は、男の人が死んだ瞬間に、その霊が飛び去っていく様子にちがいない。大きくておそろしげなバイソンは、ふつうの動物ではなく、死そのものを象徴しているのかもしれない。だから、この絵は1万7000年前の人々が信じていたことを描いたものだ——というのが、それらの考古学者の考えだ。つまり、そのころの人々は、人が死ぬと体から霊が抜けだして、天にむかって飛び去っていく、もしかしたらまた別の新しい体に入っていくと考えていた、というわけだ。たしかに、それが正しい考えかもしれない。

でも、ちがっているかもしれない。この考え方が正しいかどうかを**知る方法はない**んだ。一部の人たちが鳥の頭をもつ人間だとみなしている部分は、もしかしたら絵の不得意な人が描いたぎこちない線で、人間の頭をうまく表現できなかっただけかもしれない。この男の人の手も足も、そんなにじょうずに描かれているとは言えないからね。それに、もし頭がほんとうに鳥の頭だったとしても、それは邪悪なバイソンの怪

物と戦う石器時代のバットマンやスーパーマンの絵で、バイソンに襲われそうになった瞬間に、飛んで逃げられるのかもしれない。

また別の見方もできる。この男の人は、倒れて死んでいるわけではなくて、ただバイソンをハグしようと思って、両手を大きく広げているだけだ。バイソンのほうも頭を下げて、男の人を抱きしめようとしている。だからこの絵は、人間とバイソンの友情を描いているものかもしれないね？　きっときみも、この絵をしばらくのあいだじっと見つめ、想像の翼を自由に大きくはばたかせれば、もっともっとたくさんの物語を考えつくにちがいない。

何かを知らないときには、正直に知らないと認めるのがいちばんいい方法だ。石器時代の人々が何を信じていたのか、どんな物語を語っていたのか、私たちはよく知らない。それは人類の歴史を理解するうえで、とてつもなく大きな空白期間になっている。

沈黙の厚い幕

これまで、採集民がいつもの毎日を、どんなふうに暮らしていたかについて話してきた。でも人間の暮らしの大切な部分は、「いつもの毎日」ではないところにある。**歴史は何か特別なできごとが集まったもの**で、歴史の本のほとんどは、そうしたできごとを、とてもくわしく説明している。

たとえば、人類初の月面着陸について書いた歴史書には、1969 年 7 月 20 日の（協定世界時）午後 8 時 17 分 40 秒きっかりに、月着陸船イーグル号が、月の「静かの海」の「静かの基地」と名づけられた地点に着陸した様子が描かれている。その月着陸船には、ニール・アームストロングとバズ・オルドリンというふたりの男の人が乗っていた（3 人目の宇宙飛行士、マイケル・コリンズは、司令船コロンビアに乗って、月を巡る軌道上でふたりを待っていた）。そのときアームストロングは、ヒューストンにある地上の管制センターにむかって、「ヒューストン、こちら静かの基地。イーグルは着陸した」と連絡を入れた。その瞬間には世界じゅうで 6 億人以上の人々がテレビとラジオの前に釘づけになって、この有名な言葉**「イーグルは着陸した」**を耳にしたんだ。もちろん、月面に着陸したのは 1 羽のワシ（イーグル）ではなくて、人類だね。

それから宇宙飛行士たちは、とても入念にさまざまな準備を整え、宇宙服を着て、7月21日の午前2時39分33秒に着陸船の扉を開いた。そこで、さらにいくつかの準備をしたのち、ニール・アームストロングが着陸船のはしごを下りはじめた。はしごは9段あった。

午前2時56分15秒、アームストロングは、はしごの最後の段をおりて月面に足をふみだすと、こう宣言した。**「これはひとりの人間にとっては小さな1歩だが、人類にとっては大きな1歩である」**

私たちはこのできごとについて、こうしてとてもこまかい部分まで、すべてを知っている。

石器時代にも歴史的なできごとがつぎつぎに起きていたことは、まちがいない。けれども、石器時代の人々は書くことができなかったから、さまざまなできごとについての物語を書き残した人はいなかった。時がすぎ、そうした物語はすべて忘れられてしまった。だから私たちは、起きたにちがいないできごとについて、何も聞いたことがないんだね。たとえば、ネアンデルタール人が暮らしていた谷にサピエンスの集団がはじめて足をふみ入れたとき、いったい何が起きたのだろう？　それから数年のあいだに、人々は劇的な場面をたくさん目にしたはずだ――それはきっと、人類初の月面着陸と同じくらい大切なできごとだったにちがいない。

何が起きたのか、想像してみることはできる――もしかしたら、ひとりの女の人がイチゴをつもうとして丘にのぼったのが、すべてのはじまりだったかもしれない。丘の上に着くと、谷の下のほうに、見慣れない人間が何人かいるのが目に入った。女の人は、「怪物がいる！　怪物がいる！」と叫びながら、仲間のところに走って帰った。

その集団の仲間は別の集団の人たちに怪物のことを話し、つぎの満月の夜にみんなで集まって、これからどうするかを決めることにした。満月の夜、さまざまな集団の人たちがたき火のまわりに集まり、ひとりずつ順番に、たき火のあかりで顔を照らされながら話をしていった。何人かの人は、ネアンデルタール人は怪物なんかじゃないと思っていて、きっと友だちになれるはずだと言った。別の人たちは、近寄らないほうがいい、ネアンデルタール人が暮らす谷にも足をふみ入れないほうがいいと言った。また別の人たちは、ネアンデルタール人は危険な怪物だから、みんなで力をあわせて彼らと戦い、その谷を奪いとるべきだと言った。いったいだれが正しいのか、決着をつけられる人はいなかった。

そこで、大きい集団の守護霊に聞いてみることで意見が一致した。守護霊なら、どうすればよいかを知っているかもしれないからだ。集団の守護霊についてなんでも知っているとされる「まじない師」は、太鼓を叩きながら足をふみならす、聖なる踊りをしようと言った。そこで集団のみんなは激しく踊りつづけ、守護霊に助けを求めた。するとついに、まじない師に霊の声が聞こえた。霊は、はっきりした声で、「戦争」とささやいたらしい（ただし、もしかしたらあとになって、まじない師には何も聞こえていなかったことがわかったかもしれない。戦争をしたがっていた人たちがまじない師に、もし「戦争」と聞こえたと言えば、マンモスの牙のビーズ100個とキツネの歯でかざった帽子を3つ、プレゼントすると約束したかもしれないからね。そのせいで嘘をついたのかもしれないよ）。

だからその大きい集団の人たちはいっせいに尖った石をつけた槍と木のこん棒を手にして、谷で暮らしていた人たちに襲いかかり、みな殺しにしてしまった。ネアンデルタール人はだれもいなくなった。**でも、ひとりだけ、3歳の男の子が生きていた。**こわくなってイバラの藪に隠れていたところを、見つかったからだ。ある親切なサピエンスが、その子を養子にしようとすると、ほかの人たちが激しく反対し、その子は怪物だから殺してしまえと叫んだ。ふたたび、たき火のまわりでピリピリした話し合いがはじまり、だれもが大きな声を張り上げ、きびしい視線を投げかけた。まもなく人々はこん棒と槍をにぎり、振りまわしはじめる。今にも争いがはじまろうとしたそのとき、めったに口をきかない、その集団で最も年上の人物が立ち上がり、シカ皮のマントを脱ぐと男の子の肩にかけた。だからその子は集団に残ることになった。やがてサピエンスの集団の仲間としておとなになり、その血は今もまだ私たちに受けつがれている。もしかしたら、その男の子は、きみのひいひいひい……おじいちゃんかもしれないね！

ただし、これはみんな、ただの想像で、ほんとうのことじゃないんだ。もしかしたら、これに似たようなことがじっさいに起きたかもしれないし、まったくちがうことが起きたのかもしれない。もしかしたら戦争も、小さな戦いも、みな殺しもなかったかもしれない。もしかしたら、サピエンスがはじめてネアンデルタール人に出会ったとき、いっしょになって大きなパーティーを開き、歌い、踊り、キツネの歯で飾った帽子を交換し、おたがいにキスまでしたかもしれない。みんな、何年もあとまで、そのすてきなパーティーの物語を語りあっていたかもしれない。でもやがて、その物語は忘れられてしまった。石器時代に起きたすべてのことは、そうやって忘れられてしまったんだ。

じっさいに何が起きたのかは、わかっていない。私たちの手には証拠がないからね。できることと言えばせいぜい、考古学者がだれかの帽子についていたキツネの歯を見つけ、科学者が現代人の DNA からネアンデルタール人の遺伝子を見つけるくらいのものだ。歯と遺伝子は私たちに少しだけ話をしてくれて、石器時代に暮らした私たちの祖先について、いくつかの事実を教えてくれる。でも、ひとつひとつのできごとのこまかい部分になると、ほとんど口を閉ざしてしまう。キツネの歯は、そのとき戦争があったのかパーティーがあったのかを教えてはくれない。

サピエンスとネアンデルタール人とのはじめての出会いのほかにも、沈黙の厚い幕のむこうでは、数えきれないほどの石器時代のドラマが繰り広げられたことだろう。この幕のせいで、何万年もの歴史がおおい隠されている。そしてその時代には、たくさんの戦争もあれば、たくさんのパーティーもあったことだろう。人々はあらゆる種類の宗教と哲学を生みだしていたのかもしれない。芸術家たちは、これまでで最高の歌を作曲していたのかもしれない。私たちは、そのどれについても、何も知らない。

　でもひとつだけ、私たちの祖先がたしかにやったと言えることがある。そしてそれについて、私たちはたくさんのことを知っている――私たちの祖先は、世界の大型動物をほとんどすべて、みな殺しにしてしまった。

第4章

動物たちはどこへ行った?

5000万年前　パキケトゥス
4800万年前　アンブロケトゥス
3300万年前　ドルドン
2700万年前　トイパハウテア・ワイタキ

未知の世界へ

人類ははじめから、世界じゅうのあらゆる場所にいたわけではなく、ほんの一部の場所だけで暮らしていた。私たちサピエンスの祖先はアフリカで暮らし、ネアンデルタール人はヨーロッパと中東、デニソワ人はアジア、そしてフローレス島の小型の人類はフローレス島で暮らしていた。

そのころの世界には、人類のまったくいない場所がたくさんあった。アメリカやオーストラリア、それから日本、ニュージーランド、マダガスカル、ハワイのような多くの島には、まだ人類の姿はなかった。人間は、泳ぐのがあまり得意ではないからだ。フローレス島のように大きな島のすぐ近くにある島や、大陸にとても近い島には行けることもあったけれど、大海原をわたってオーストラリアやハワイのような場所にたどり着くことはできなかった。

私たちサピエンスの祖先が7万年前にアフリカを離れたときには、どこまでも歩いて行ったんだ。ヨーロッパまで歩いていくと、そこでネアンデルタール人に出会った。アジアまで歩いていくと、そこでデニソワ人に出会った。まだまだ歩いて、歩いて、とうとうアジアのいちばん遠いところに着いた……そこから先には、もう歩けない。でも、もう立ち止まることはなかった。なぜって、**とてもいいことを思いついた**からだ。それまでに人間は、木が水に浮かぶことに気づくようになっていた。そこで丸太を何本もしばりつけて「いかだ」を作ったり、ふとい木の幹をくりぬいて「カヌー」を作ったりしてみたんだ。そして、それに乗って、海へとこぎだした。

これは、人間がなしとげた、じつにみごとな仕事だ。はじめは陸で生活をし、やがて海で暮らすように進化した動物は、ほかにもいろいろいる。たとえばクジラの大昔の祖先は陸の動物で、大型犬くらいの大きさだった。およそ5000万年前、そのイヌに似た動物たちの一部が、ときどき川や湖に入って魚などの小さい生きものをつか

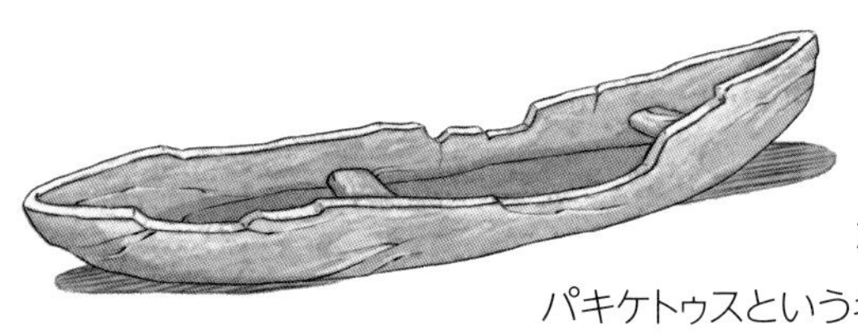

まえはじめた。科学者たちはこうした動物のうちの1匹の骨格を見つけ、パキケトゥスという名前をつけている。

パキケトゥスの子孫は水中での暮らしに適応して、川のなかにいる時間がだんだん長くなり、めったに陸に上がらなくなった。すると、もう歩く必要がなくなった足はだんだん小さくなり、やがてひれ足になった。しっぽは泳ぎやすいようにだんだん大きくなり、幅も広くなっていった。そしてついに海へと泳ぎだすと、陸上での暮らしをすっかり忘れて、一生を深い海ですごすようになった。するとその体はますます海での暮らしに適応して、だんだん大きくなり、クジラになったというわけだね。

でもこんなふうに変化するには、何百万年、何千万年という時間がかかった。動物たちは、自分が生きているあいだに変化を感じたことなどないだろう。生まれたときは陸上の小さい動物で、大きくなったら海で暮らす巨大なクジラになった、なんていう一生を送った生きものは、どこにもいない。自分が4分の1だけクジラだとか、半分だけクジラだとか感じた生きものはなかった。変化していくそれぞれの段階で、それぞれに自分の生き方があり、それで十分だった。もし、このイヌに似たクジラの祖先が、今のクジラに出会うことがあっても、目の前の巨大な海の動物が自分のひ孫のひ孫の……ひ孫だとは、夢にも思わないだろうね。そして、クジラが変化の終点というわけでもない。クジラはまだ進化をつづけるかもしれなくて、今から5000万年後にはどんな姿になっているかなんて、だれにもわからない！

サピエンスは、クジラのように海をわたりたいと思ったときに自分の体が進化するまで待つ必要はなかった。**ただ新しい道具を発明すればよかっただけだ。**だから、ひれ足が大きくなりはじめるのを待たずに、舟を作りはじめた。それには何百万年もの時間はかからず、わずか2～3世代のうちに作れるようになった。

サピエンスは、はじめて舟の作り方をおぼえると、海岸から見える島をめざして漕ぎだしたんだ。その後は、ひとつの島から別の島にわたり、やがて、そのあたりでいちばん遠い島までたどり着いた。そしてはるか彼方を眺めても、もうどこにも島は見えなくなった。もしかしたら、ここが世界の果てなのか？

けれども、人々の冒険はそこで終わることはなかった。たぶん、何人かの勇敢で冒険好きな人たちが、水平線のむこうにもっと別の島々が隠れているかもしれないと言ったんだ。用心深い友だちは、こうたずねたことだろう。「どうしてもっと島があるなんてわかるんだい？　見たこともないのに」

すると、勇敢な人たちは答えた。「どうしてもう島がないなんてわかるんだい？　行ったこともないのに」

とにかく、**何人かの人たちが危険をおかす決心をして**、未知の世界へと漕ぎだし、自分たちの目でたしかめることにしたにちがいない。いかだとカヌーに食べものと水を積めるだけ積んで、勢いよく漕ぎだしたのだろう。それから、漕いで、漕いで、漕ぎつづけ、とうとう出発した島が見えなくなった……でもまだ遠くに新しい島の姿はまったく見えてこない。これ以上遠くまで進めば、戻るのに必要な食べものと水がたりなくなるかもしれない。そんな舟のひとつに乗っているとしたら、きみならどうする？

冒険をはじめた人たちの一部は、それ以上の危険はおかせないと考えて、引き返したかもしれないね。でもその他の人たちは先に進むことに決めた。もしかしたらだれかが、頭上を飛んでいく鳥を見つけて、「あの鳥はどこかにむかっているはずだ。それなら、この先には陸地があるはずだ」と考えたのかもしれない。そしてその舟の人々はまた、漕いで、漕いで、漕ぎつづけた。

そしてついに、オーストラリアにたどり着いた。それはおよそ5万年前のことだ。

こうしてオーストラリアにはじめて到達した最初の人々の旅は、**歴史上で最も重要なできごとのひとつだった**。コロンブスのアメリカ大陸への旅や、ニール・アームストロングとその仲間たちの月面着陸よりも、もっと重要なものだ。オーストラリアの浜辺に最初の人類が足をふみ入れた瞬間は、人類が世界じゅうでいちばん危険な動物になった瞬間だったからね。このときから、人類が地球という惑星の支配者になった。それまで、人類は環境に対してそれほど大きな影響を与えてはいなかったのに、この瞬間から、世界をすっかり変えはじめたんだ。

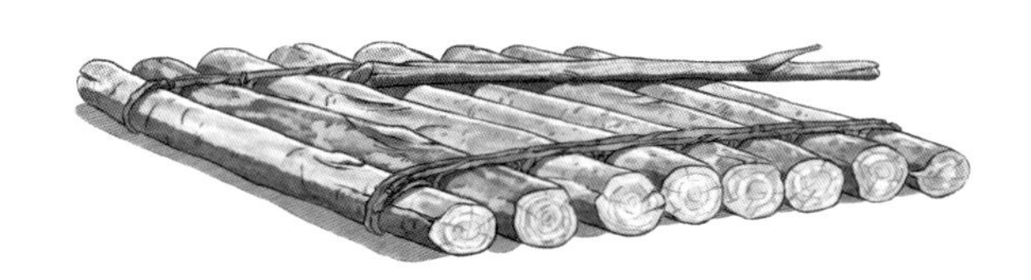

オーストラリアの大型動物たち

　はじめて人類がこの浜辺にたどり着いたとき、その人たちはオーストラリアについて、まったく何も知らなかった。きみは、新しい町に引っ越したり、新しい学校に転校したりしたことがあるかな？　なかなかたいへんだよね？　どの子がやさしくて、どの子が意地悪か、よくわからない。廊下でむこうから先生が歩いてきたら、おはようございますと言えばいいのか、ただ道をあければいいのか、よくわからない。どこがいちばん便利な水飲み場で、どこにすてきな子たちがよく行くのかもわからない。

　オーストラリアにはじめて上陸した人たちも、同じように感じたにちがいない。**そこにはそれまで、人間はひとりもいなかったから**、その場所についてわかることは何もなかった。どのキノコとベリーがおいしくて、どのキノコとベリーに毒があるかを見分けることもできない。カンガルーが近づいてきたら、それが危険な動物か安全な動物かもわからない。水がわいている穴の場所も、火打ち石が見つかる場所も知らない。すべてのものが新しかった。

世界じゅうで絶滅した大型動物

さて、その人たちが新しいわが家の探検をはじめてみると、じつにさまざまな、巨大で風変わりな動物たちに出会った。そのころのオーストラリアには、私たちが知っているようなカンガルーだけではなく、身長 2 メートル、体重 200 キロもあるジャイアントカンガルーもいた。この巨大なカンガルーを襲うのは、カンガルーライオンと呼んでいいようなフクロライオン（ティラコレオ）だった。フクロライオンはライオンのように大きくて獰猛だったけれど、自分の子どもをカンガルーのようにおなかの袋に入れて運んでいたんだ。それに、巨大な飛べない鳥のゲニオルニスもオーストラリアの平原をかけまわっていた。その鳥は人間よりも大きくて、とても大きな卵を産んだ――その卵が 1 個あれば、それはそれは大きなオムレツを作れた！

森にはジャイアントコアラが住み、竜のようなトカゲが日光浴をし、5 メートルをこえる巨大なヘビが草のあいだをスルスルと進んだ。こんなヘビは子どもをいっぺんに 3 人飲みこんでも、まだ胃にすきまがあるかもしれないね！　いちばん大きい動物はディプロトドンと呼ばれ、重さは 3 トン近く、大きさはSUVという種類の自動車くらいだった。

すべていなくなった

サピエンスがオーストラリアにたどり着いてからまもなく、こうした巨大な動物がすべて絶滅した。多くの小さい動物たちも同じ運命をたどった。絶滅する、というのは、すっかり、完全に、どこにも、いなくなることを意味する。ある種類の動物が絶滅するということは、同じ種類の動物が 1 匹残らず死んでしまうということだ。すべてが死んでしまえば新しい赤ちゃんは生まれないから、**その種類の動物は、永遠に姿を消す**。これが、ジャイアントカンガルー、フクロライオン、5 メートルのヘビ、ディプロトドン、そのほかの数多くの動物に起きたことだ。でも、どうして？

何か悪いことが起きて、それが自分のせいだとわかると、だれかほかの人のせいにしたくなるよね？　たとえば、リビングでボール遊びをしているうちに、お母さんが大切にしている花瓶を割ってしまったら？　もちろん、ネコのせいだ！　だから同じように、オーストラリアの巨大な動物たちが絶滅したのは、オーストラリアの気候が変化したせいだと主張する人たちもいる。どんどん寒くなって、雨も少なくなったから、動物の食べるものがたりなくなって、死に絶えたのだという。

ただ、それはとても信じられない説明だろう。オーストラリアの気候がおよそ5万年前に変化したのはほんとうのことだけれど、それほど大きな変化ではなかった。いずれにしても、これらの大型動物たちはオーストラリアで何百万年ものあいだ暮らしていて、それまでに起きた数多くの気候変動も、なんとか生き抜いていたんだ。なぜ、人類がはじめて上陸したと同時に、大型動物は急に姿を消してしまったのかな？　正直なところ、最も信頼できそうな説明は、サピエンスが原因だったというものだ。

でも、大昔のサピエンスは、いったいどうやってそんな大惨事をもたらしたのだろうか。鉄砲も爆弾も、もっていなかったんだからね。自動車もトラックも運転しなかった。町も工場もまだなかった。あったのは石器時代の道具だけだ。でも、**サピエンスには3つの大きな強みがあった**。協力（力をあわせて狩りをできる）、意外性（見たところ危険な生きものに思えない）、火の力（火を自在に操れる）の3つだ。

私たちは危険な生きものに見えない

サピエンスの第1の強みは、物語を語って、たくさんの人たちをひとつにまとめられることだった。サピエンスがやってくるまで、フクロライオンのようなオーストラリアの大型捕食動物は、たいていは1頭だけで、またはとても小さいグループで狩りをしていた。ところがサピエンスが狩りに出かけるときには、おおぜいの人たちが集まって大きなグループを作り、おたがいに協力することができた。巨大なディプロトドンは、1頭のフクロライオンからは身を守ることができても、器用な20人ものサピエンスのグループが相手では、無理だった。もっと大切なのは、サピエンスにはライオンにはできない方法で、みんなに情報を伝える力があったことだ。もしも、ある集団の人たちがディプロトドンをつかまえる新しいやり方を考えだしたとすれば、すぐにそれを別のすべての集団に教えたはずだ。そして、ゲニオルニスがいつも大きな卵を産む場所をだれかが見つけたとすると、まもなく近くの人たちはひとり残らず、その場所を知ることになっただろう。

サピエンスはアフリカやアジアで暮らしていたときから、すでにグループで狩りをする方法と、情報を共有する方法を身につけていた。でもオーストラリアにやってきたことで、サピエンスはもうひとつの、とっても重要な強みを手にしたんだ。それは「意外性」という、見た目とじっさいの大きなちがいだ。人類は200万年ものあいだアフリカとアジアで暮らしているあいだに、狩りの方法に少しずつみがきをかけていった。アフリカとアジアの動物たちは、はじめは人間の姿を見てもあまり気にしていなかったけれど、**少しずつ、人間をこわがることをおぼえていった**。だから、サピエンスがおおぜいで力をあわせるという独自の力をもつようになるまでに、アフリカとアジアの動物たちは、人間には近づかないほうがいいことをちゃんと知っていたんだ。手に棒をもった2本の足で歩くサルの仲間が近づいてくると、めんどうなことが起きるから、逃げるほうがいい。それも大急ぎで！　ところがオーストラリアの動物たちには、人間は危険だとおぼえる時間がなかった。

人間は、やっかいなことに、**とりわけ危険な生きものには見えない**。トラのように筋肉のついた大きな体も、ワニのように長くて鋭い歯も、サイのように巨大な角ももっていないし、チーターのように速く走れるわけでもないからね。だから、オーストラリアの巨大なディプロトドンが、アフリカからやってきたこの2本足で歩くサルの仲間とはじめて出会ったときには、チラッと目をやっただけで、肩をすくめ、また草を食べはじめた。新しく姿をあらわしたこの見慣れない生きものは、まったくおそろしいようには見えなかったんだ。そんな生きものが、ディプロトドンを傷つけられるはずもない。

でもほんとうは、人類はもう地球上でいちばん危険な動物になっていた。どんなライオンより、5メートルのヘビより、ずっとずっと危険だった。もちろん、ひとりの人間は1頭のライオンや1匹のヘビより、ずっと危険じゃないんだ。でも、100人のサピエンスが力をあわせれば、ライオンにもヘビにもできないことをできるようになる。ディプロトドンや、オーストラリアのそのほかの大型動物の狩りは、アフリカとアジアのゾウやサイの狩りよりもずっとかんたんだった。人間が近づいてくるのが見えたとき、**オーストラリアの動物たちは逃げようとしなかった**からね。アフリカではゾウやサイの一部がなんとか生きのびることができたのに、オーストラリアのディプロトドンがすべていなくなってしまった理由は、そこにある。あわれなディプロトドンは、人間をこわがることをおぼえる前に絶滅してしまったんだ。

不思議に思えるかもしれないけれど、こわがることをおぼえるのには時間がかかる。きみたちは、こわがる気もちなんて自然にわいてくるものだと思っているかもしれないね？　でも、自分がこわいと思うものについて、ちょっと考えてみてほしい。きみは、

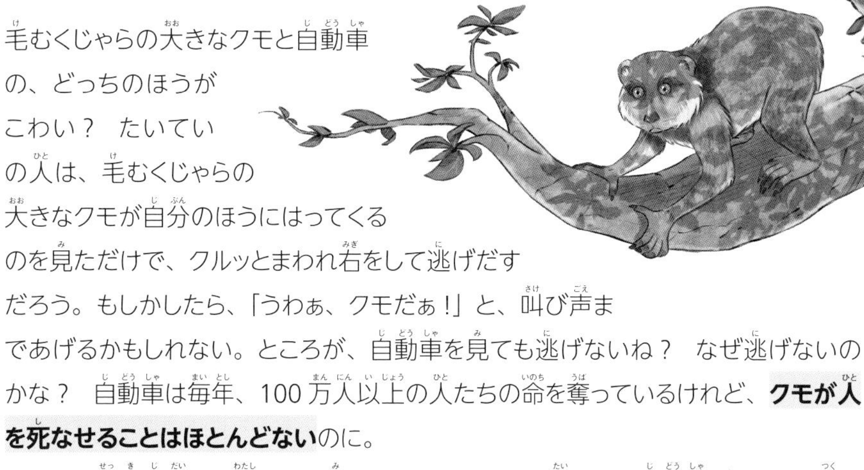

毛むくじゃらの大きなクモと自動車の、どっちのほうがこわい？　たいていの人は、毛むくじゃらの大きなクモが自分のほうにはってくるのを見ただけで、クルッとまわれ右をして逃げだすだろう。もしかしたら、「うわぁ、クモだぁ！」と、叫び声まであげるかもしれない。ところが、自動車を見ても逃げないね？　なぜ逃げないのかな？　自動車は毎年、100万人以上の人たちの命を奪っているけれど、**クモが人を死なせることはほとんどない**のに。

クモは石器時代から私たちの身のまわりにいたのに対して、自動車がたくさん作られはじめたのはたった1世紀前のことだ。だから、人間はクモをこわがることを学ぶ時間があったのに、自動車をこわがるようになる時間はなかった。かわいそうなディプロトドンと、まったく同じことだ。もしかしたらディプロトドンも、毛むくじゃらのクモのことはこわがったのに、あたりで最も危険な生きもの――人間――をこわがらなかったのかもしれないね。

こうして、人間は力をあわせることができて、意外性をもっていたうえに、3つ目の大きな強みも備えていた。それは火を操る力だ。サピエンスはオーストラリアに到達するまでに、どこにいても好きなときに火をおこせるようになっていた。だから、よく知らない動物がたくさんいる深い森にやってきたときには、1頭ずつ探しながら狩りをして怒ったディプロトドンにふみつぶされる危険をおかす必要はなかった。そのかわりに、火をつけて森全体を燃やしてしまうという方法をとったんだ。

人間たちはただ森の外で待ち、驚いた動物たちが逃げだして、罠にかかるのを見ていればよかった。さもなければ、なかにいた動物ごと森が焼けてしまうまで待ち、炎がしずまったところで、こんがり焼けたディプロトドンやカンガルーの肉を好きなだけ食べることもできただろう。

こうやって、サピエンスはオーストラリアの巨大動物たちをみな殺しにしてしまった。**たった1頭の生き残りさえいなかった。**人類はオーストラリアを徹底的に変えてしまい、そんなことをしたのは、それがはじめてだった――人類ははじめて、世界の一部を自分たちの手ですっかり変えてしまった。

アメリカ発見

悪い習慣というのは、振り払うのがひどく難しいものだ。どこへ行こうとも、しつこくつきまとう。ざんねんながら私たちの祖先たちの場合も、その例外ではなかったんだ。オーストラリアのたくさんの動物をみな殺しにしたのは、人間がはじめて起こした重大なできごとだった。そして 2 回目の重大なできごとでは、こんどはアメリカの動物たちをみな殺しにしてしまった。

アメリカにたどり着くのは、オーストラリアのときよりも、もっと難しかった。アフリカやヨーロッパからアメリカに行くには、広大な大西洋を横切らなければならないし、アジアからアメリカに行くには、もっと広大な太平洋を横切らなければならないからね。ただ、アメリカのいちばん北にあるアラスカという場所だけは、アジアのいちばん北にあるシベリアという場所と、とっても近い。じっさいには、およそ 1 万年前ごろまでは海水面がとても低かったから、シベリアからアラスカまで歩いてわたることができた。つまり、海をわたる必要はなかった。

でも、この北極圏の気候は、とんでもなく寒かった。冬になるとシベリア北部の気温は氷点下摂氏 50 度にまで下がることがあり、太陽がまったくのぼってこない日さえ何日もつづいた。たくましい体をもち、雪と氷には慣れていたネアンデルタール人とデニソワ人でさえ、シベリア北部では生き残ることができず、アメリカにたどり着くことはできなかった。

それから、私たちの祖先のサピエンスが北の地へとやってきた。サピエンスの出身地は太陽の輝くアフリカだったから、その体は北極の気温での暮らしにはまったく適応していなかった。でも、北へと移動してシベリアに到達するまでのあいだに、サピエンスは生き残りに役立つあらゆるものを考えだしていたんだ。たとえば、ネアンデルタール人は動物の毛皮で身を包むことがあ

ったのがわかっているが、サピエンスはそのうえに針を発明して、何枚かの毛皮と皮をぬいあわせ、どんな天候にも耐えられる、暖かい衣類を作る方法を知っていた。私たちはふだん、針について考えることはあまりないけれど、針は**歴史上で最も重要な発明品のひとつ**だった！　もし大昔のサピエンスが針を発明していなければ、たぶんアメリカにはわたれていなかっただろうね。

南への移動

サピエンスはまだ、たくさんの人が力をあわせることによって、はるか北の地に住むマンモスなどの大型動物の狩りをつづけていた。マンモスを1頭獲るごとに、みんなのためのスーパーマーケットができたようなものだった。だって、1頭で大量の肉とあぶらを手に入れることができたんだから――なかには1頭で12トンもあるマンモスもいた！　これほどの肉をいっぺんに食べることはできなかったものの、燻製にしたり氷のなかで凍らせたりして保存する方法を知っていたんだ。マンモスの毛皮と皮を使えば、体温を保つコートと靴を作ることができたし、大きな骨はテントを張るのに使え、もっと小さい骨は道具になった。牙からは宝飾品と芸術品が生まれた――ライオンマンや、スンギルで見つかった腕輪とビーズのようにね。

だから冬が近づくと、サピエンスの大きい集団全体が集合してマンモス狩りをしたのかもしれない。その後、いくつもの小さい集団で肉と皮と牙を分けたのだろう。それぞれのグループは、また別の種類の食べものを採集すると同時に、できるだけたくさんの薪も集めておく。そして冬がやってくると、**それぞれのグループが洞窟に避難して引きこもった**。太陽が姿を隠し、吹雪が吹き荒れるあいだ、小さい集団はそれぞれの洞窟にとどまって、赤々と燃える炎のまわりで体を温めていたんだろうね。

ありあまる時間をつぶすために、みんなでマンモスや幽霊や、半分が人間で半分がライオンの奇妙な生きものの物語を語りあっていたのかもしれない。もしかしたら冗談を言いあったり、歌を歌ったりしたかもしれない。マンモスの毛皮でコートを縫い、マンモスの皮で靴を作り、マンモスの牙でビーズと宝飾品も作っていたんじゃないかな。

おなかがへれば、冷蔵庫のかわりにしている洞窟のいちばん寒い場所まで行って、マンモスのステーキをひと切れ取りだし、火にかざして焼いた。もちろん、電気で動くほんものの冷蔵庫があったわけではないけれど、気温が氷点下摂氏 50 度まで下がれば、**どの洞窟も天然の冷蔵庫になった！**

スンギルで見つかった美しく飾られた帽子とベルトからは、マンモスの狩りをしていた人々が、ただ生きのびていたというよりは栄えていたことがわかる。人の数がどんどん増え、はるか北へと広がり、マンモスやサイの仲間やトナカイの狩りをする一方で、海辺では魚もつかまえていただろう。あたり一帯にマンモスも魚もいなくなると、ただ先に進んで、もっとたくさんいる場所はないかと探した。そうしているうちに、ある日、シベリアからアラスカへとわたり、アメリカを発見したんだ。もちろん自分たちは、アメリカを発見したなんて思っていなかった。マンモスも、魚も、人間も、アラスカはシベリアの続きにすぎないと思っていたからね。

アラスカにわたってからもまだ、人々は南へと移動をつづけ、とうとうアメリカ全体に広がっていった。はじめ、アメリカの北の端で暮らしていたころには、生活の中心は魚釣りと大型動物の狩りだった。けれども、**サピエンスは暮らし方をすぐに変えることができ**、アメリカでもそうした。人々は新しい場所にたどり着くと、そのあたりの植物と動物を相手にしながら、自分たちにできるあらゆることをまたたくまに学び、新しいやり方を考えだし、新しい道具を作りだし、新しい条件に適応していったんだ。

シベリアでマンモス狩りをしていた人たちのひ孫が、ミシシッピ・デルタの湿地までたどり着いて暮らしていたかもしれない。そこではもう、マンモスの毛皮で作った長いコートを着なくてもよくなり、ほとんど裸で歩いていただろう。そして凍りついたツンドラ地帯でマンモスの群れを追うかわりに、網を作って川で魚をつかまえていた。マンモスのステーキの味を忘れ、カニの肉を好きになっていった。もしかしたらもうライオンマンの霊を信じるのもやめて、湿地の奥に住むアリゲーターマンの霊について、物語を話しはじめていたのかもしれない。

一方で、親類のうちの一部はメキシコのソノラ砂漠で暮らす方法を身につけていたかもしれないね。この砂漠にはコヨーテがたくさんいて、ワニはいなかった。さらに別の人たちは中央アメリカのジャングルを住みかに選んだり、アマゾン川のほとりや、アンデス山脈の高地や、アルゼンチンの開けた大草原で暮らしはじめたりしただろう。なかには、南アメリカのいちばん南のはじっこにある、ティエラ・デル・フエゴの島々にたどり着いた人たちまでいたんだ。しかも、これほど多様な場所のすべてに人類が住みつくまでにかかった時間は、たったの数千年だった。こうしたアメリカ縦断の旅は、**私たちの祖先がすばらしい才能をもっていた**ことの証拠だ。これほどたくさんの異なる場所に、これほど短時間で適応できた動物は、ほかにはいない。

そして人間はほとんどどこへ行っても、大型動物の狩りをした。それに人間がアメリカにたどり着いたころには、オーストラリアに上陸したころにくらべて、狩りの腕がさらに上達していたんだ。人間が新たに生みだした方法のひとつは、いくつかのグループが異なる方向から動物に近づいて、その動物をすっかり取り囲んでしまうものだった。そうすれば、もしその動物がサピエンスより速く走れても、逃げることができないわけだ。

ふたつ目の方法は、動物に一方からだけ近づいていきながら、追う方向を工夫して、断崖や、わたることのできない深い川へと追いつめるものだった。そして 3 番目は、動物を細い峡谷や、川をわたれる場所へと追いやる方法だ。**動物たちは逃げ道を見つけたと思って**、その狭い通り道に殺到する。でもそこでは別のグループのサピエンスが、ちゃんと待ち伏せしていた。動物たちがぎゅうぎゅう詰めになって逃げようとしているところに、ハンターたちがすかさず矢を放ったり、槍を投げたり、崖の上から岩を落としたりしたんだ。

動物たちの暮らす場所が見通しのよい平原で、断崖も、川も、峡谷もなければ、サピエンスは力をあわせて人工の罠を作ることができた。木や石で頑丈な柵を作って逃げ道をふさぎ、近くに深い穴を掘ってその上を小枝や葉っぱで隠しておく。そして動物のうしろから近づいて、大きな音をたてたり腕を振りまわしたりして柵と穴のほうに追いやる。そのような柵と落とし穴を作るには、ときにはいくつもの小さい集団の人たちが力をあわせて、何週間もかけて仕事をしなければならなかったけれど、うまくいけばたった 1 日で動物の群れ全体をつかまえることもできた。メキシコのトゥルテペックという場所で考古学者が見つけた 2 つの大きな穴には、14 頭ものマンモスの骨が残っていた。人間がそれらの穴を掘ってから、マンモスを穴まで追いやったのだろう。

　人類がアメリカにたどり着いたとき、そこにはマンモスがたくさんいただけでなく、マストドンと呼ばれるまた別の、ゾウに似た大型動物もいた。そのほかにも、バスケットボール選手くらい大きいビーバーや、ウマとラクダの群れ、サーベルタイガー、そして現在のアフリカのライオンよりも大きい巨大ライオンもいたんだ。大昔のアメリカにいたそのほかの動物たちは、現在いるどの動物にも似ていなくて、たとえばナマケモノの仲間の巨大なメガテリウムは重さが4トン、高さが6メートルにも達していたらしい。それはゾウのほぼ2倍もの高さだ！　でも、人類が足をふみ入れてまもなく、これらの大型動物もほとんどが絶滅してしまった。

大きな災難

どうして大型動物ばかりが死にたえてしまったのか、不思議に思っているだろうか？ どうしてマンモスとメガテリウムとジャイアントビーバーが絶滅して、もっと小さいビーバーやウサギはまだ生き残っているのかな？ それには、いくつかの理由がある。

ひとつ目の理由は、サピエンスが集団で狩りをしたときに、小さい動物ではなく大きい動物をねらったことだ。何十人ものハンターを呼び集めておいて、ウサギを 2、3 匹追いかけるなんてことはしないよね！ 10 匹のウサギを 50 人で分けたら、ひとりの食べる分はほんの少ししかなくなってしまう。でももし、1 頭でもいいからマンモスをしとめられれば、みんながたくさん食べられる。がんばっただけのかいがあるというわけだ。

ふたつ目の理由は、ウサギが身を隠す名人だということだ。巣穴に飛びこんだり、藪のなかでじっとすわっていたりすれば、人間の目にはもうどこに行ったのかわからない。**でも、マンモスが隠れるのはずっと難しい。**もちろん、大型動物が敵から身を守るには、ふつうは隠れるのではなく、大きさに頼る。マンモスはオオカミやワシから隠れる必要はないね。大きさがちがいすぎて、襲われることもないからだ。でも、サピエンスのグループが相手の場合には、大きさで身を守ることはできなかった。その正反対だったんだ——いちばん大きい動物が、人間のハンターにとってはいちばん魅力的な獲物だったのだから！ 大型動物が災難に直面したのは、そのためだった。

3 つ目の理由は、大型動物の数は比較的少なく、増えるのもゆっくりだったことだ。ある地域に、1000 頭のマンモスが暮らしていたとしよう。1 年間に 12 頭の赤ちゃんマンモスが生まれ、一方で 10 頭が年をとったり傷ついたり病気になったりして死ぬ。そうすると、その地域のマンモスの数は 1 年ごと

に2頭ずつ増えていく。そこにサピエンスがやってきてマンモスの狩りをはじめたら、どうなるかな？　たとえ1年に3頭しか殺さなかったとしても、それによってバランスはすっかり崩れてしまう。こんどはマンモスの数が1年に1頭ずつ減ってしまうよ。**計算をしてみよう**――はじめに1000頭のマンモスがいて、1年に1頭ずつ減っていったら、そのマンモスが絶滅するのに何年かかるだろうか？　そして、最後の1頭のマンモスは、自分だけしかいなくなって、どれだけ悲しい思いをしたかも考えてみてほしい。

ウサギの場合は、話がまったく異なる。同じ広さの場所に、ウサギなら10万匹は暮らすことができただろう。そしてウサギはどんどん増える。毎年、何千匹という赤ちゃんウサギが生まれたんだ。だからもし人間がうまく大量のウサギをつかまえることができたとしても、ウサギの数はそれほど減らなかった。その結果、たくさんの人間とたくさんのウサギがいて、マンモスは1頭もいなくなってしまったんだね。

でも、**私たちの祖先はどうしてそんなに残酷だったのだろう？**　どうしてマンモスを1頭残らず殺してしまったのかな？　きっと、そんなことをするつもりはなかったにちがいない。ただおなかがすいて、子どもたちもおなかをすかしていたから、何か食べるものが必要になって、1年に何頭かのマンモスを殺していただけなんだ。それを何年も何年もつづけていくとどうなるのかなんて、まったく知らなかった。私たちはとっても重大なことを、自分では何をしているのか気づかないまま、していることがよくあるんだよ。

マンモスのハンターたちは、1年に3頭ずつマンモスを殺すだけで、やがてマンモスがすっかりいなくなるなんて思ってもいなかった。人が生きるのは長くても70年か80年くらいで、マンモスが絶滅するまでには何世紀もの年月がかかったから、何が起きているかに気づいている人はだれもいなかった。せいぜい、昔の思い出にふけるおじいちゃんが、こんなふうにブツブツ言ったくらいかもしれない。「ふーむ、ちかごろの若いもんは、昔がどんなだったか知らんからのう。わしが子どものころは、まわりじゅうにマンモスがいっぱいいたもんだ。でも今じゃ、ほとんど見かけなくなってしまった」。そしておじいちゃんがこう言ったとしても、だれもその言葉を信じる人はいなかったかもしれない。きみは、**きみの両親やおじいちゃん、おばあちゃんから聞く、スマートフォンもインターネットもなかった子どものころの話を、いつも信じているだろうか？**

これは、大切な「生命の法則」のもうひとつの例だ――だれも気づかないような小さい変化でも、時間がすぎるにつれてつみかさなると、大きい変化になる。ある瞬間ごとには目に見えないような小さい変化しか起きないから、私たちはすべてがずっと同じだと思ってしまう。一日じゅう、いや、1週間ぶっつづけで気をつけて見ていたって、やっぱり変化には気づかない。でも時間がたつにつれ、**小さい変化がつみかさなって、とても大きい変化になる**。そうやってきみたちは成長し、小さい陸の動物がやがて大きいクジラになり、1年に数頭ずつマンモスを殺していると、やがて世界に1頭もマンモスがいなくなる。

ほんとうのところ、マンモス自身も自分たちがすっかりいなくなることには気づいていなかっただろう。だってマンモスも人間と同じで、数十年しか生きていないのだから。1000年以上も生きたマンモスはいない。それぞれのマンモスは親友が死んだことを知っていても、やがてこの世界からマンモスがいなくなることなんてわかるはずもなかった。

絶滅
急行列車

私たちの祖先は、じつにたくさんの種類の動物たちを絶滅させてきた。オーストラリアとアメリカだけではなく、世界じゅうで。私たちはここでアメリカからマンモスがいなくなった様子を考えてきたけれど、マンモスはヨーロッパからもアジアからも姿を消してしまったんだ。それまで、何百万年も生きていた場所だった。こうして今から1万年前までには、とても寒い北の地にあるいくつかの小さい島々を除いて、どこにも、1頭のマンモスも、見られなくなってしまった。

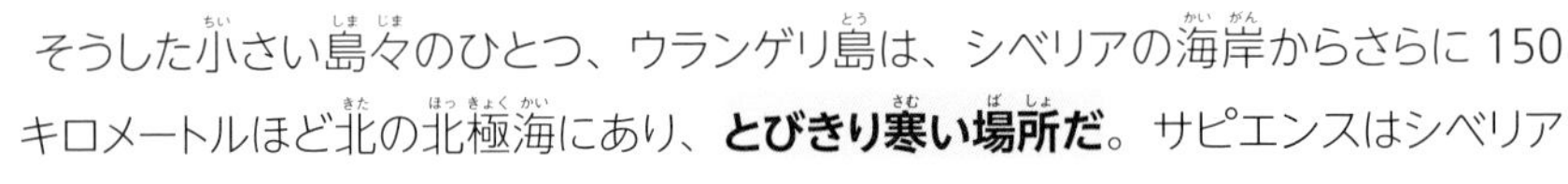

そうした小さい島々のひとつ、ウランゲリ島は、シベリアの海岸からさらに150キロメートルほど北の北極海にあり、**とびきり寒い場所だ**。サピエンスはシベリア

にたどり着いたあとも、ウランゲリ島にまで足をのばすことはできなかった。だからマンモスは、アメリカ、ヨーロッパ、アジアから姿を消してから数千年ものあいだ、ウランゲリ島では平和に暮らしつづけていたんだ。でも、今からおよそ4000年前に、とうとう何人かのサピエンスがウランゲリ島にたどり着いた……そしてまもなく、世界じゅうのどこにもマンモスの姿は見られなくなった。

マンモスの絶滅は、ほかのたくさんの動物と植物にも影響をおよぼしていった。これもまた大切な「生命の法則」のひとつだ――動物と植物はおたがいに頼りあっているから、1種類の生きものに何かが起きると、たいていは、ほかのたくさんの生きものも影響を受けることになる。**そしてこの法則は、きみにも当てはまる。**きみは自分の家の近くで、たくさんの動物や植物に影響をおよぼしている。だって、バス停まで歩くとちゅうで雑草をふみつけているかもしれない。バス停まで歩きながらクッキーを食べれば、砕けたクッキーのかけらが通り道に落ちて、それをアリやスズメが見つけて食べるかもしれない。自分の部屋の天井からクモの巣を取り払うかもしれない。だからきみが別の町に引っ越してしまえば、クモと雑草は喜ぶだろうし、アリとスズメはうれしくないだろうね。

それと同じことが、すべての動物で、もっとずっと大きな規模で起きている。たとえば、ミツバチについて考えてみよう。ミツバチが花から花へと飛びまわって蜜を集めると、花粉が花から花へと伝わって、花は実を結ぶことができる。もしも何かの災害が起きてミツバチがぜんぶ死んでしまったなら、花は花粉を運ぶ方法を失って、実を結ぶことができなくなる。そうすると新しい種子がなくなって、新しい植物が生えなくなる。植物がすっかりなくなってしまうと、その植物を食べる動物（たとえばウサギなど）がすべて死んでしまう。ウサギがいなくなれば、ウサギを食べる動物（たとえばキツネなど）もすべて死んでしまう。こうやって、**1種類の動物の絶滅は別のたくさんの種類の生きものにも影響をおよぼす**。ミツバチがぜんぶ死んでしまうと、キツネもいなくなってしまうんだ。

マンモスは、ほかのたくさんの植物と動物にも、とても大切なものだった。マンモ

スがまだ生きていたころ、はるか北のほうにある北極圏は今よりずっと寒かったけれど、そこにはまだ今よりずっとたくさんの植物と動物が見られたんだ。なぜだろう？それは、マンモスのおかげだった。冬になると、何もかもが雪と氷におおわれてしまう大地で、マンモスが除雪車の役割をはたしていたからだ。マンモスは、とてつもない力と大きな牙を使って雪をかき分け、その下に埋もれている草を探しだした。もちろん自分でその草を食べるためだったけれど、残ったものもたくさんあって、ホッキョクウサギのような小さい動物たちが食べるには十分だった。そしてホッキョクウサギは、ホッキョクギツネのごちそうになった。春がやってくるまでに凍りついた草はほとんど食べつくされ、むきだしの地面だけが残される。でもそれは、とってもいいことだった。なぜなら、太陽がまた地面を温めはじめると、新しい植物がすぐ育つことができ、その新しい植物がまた、動物たちに食べるものを提供したからだ。

ところがマンモスが絶滅すると、冬に雪をかき分けて草を見つけられるような強い動物は、もうどこにもいなくなってしまった。**だから、ほかの動物たちにも食べるものがなくなった。**それに、凍りついた草を食べる動物がいなくなったから、春がやってきても新しい植物が育ちにくくなった。前の年の枯れた草の下に、押しこめられてしまったからだ。そうなると、動物たちが食べられるものはもっと減ってしまった。こうして、マンモスがいなくなったために、ホッキョクウサギもホッキョクギツネも苦しまなければならなくなったんだ。

サピエンスは、そんなことが起きていることを少しも知らなかった。サピエンスの問題点は、とくに悪意があって何かをしたというわけではなく、**何かをするのが、とてもじょうずだった**ことなんだ。サピエンスがマンモスの狩りをはじめると、あまりにも手際よくできたから、生き残れたマンモスは１頭もいなかった。そこでつぎにヘラジカを狩った。でもやっぱり、とてもじょうずにやったから、すぐにヘラジカも姿を消してしまったんだね。

考古学者が地面を掘り起こしてみると、**世界じゅうで同じことが起きたのがわかった**。地中のとても深いところには、たくさんの異なる種類の動物の痕跡が見つかっても、サピエンスの痕跡はひとつもなかった。地中のもう少し浅い位置で、はじめてサピエンスの痕跡が見つかった――たぶん、人間の骨や歯、槍の先端などだ。それから地中のもっと浅い層になると、人間の遺物がたくさんあっても、かつてそこにいた動物たちの痕跡はまったく残っていなかった。つまりこうなる――第１段階：動物がたくさんいて、サピエンスの姿は見えない。第２段階：サピエンスが登場する。第３段階：サピエンスがたくさんいて、動物の姿は見えない。

これがオーストラリアで起きたことだ。アメリカでも、アジアでも、ヨーロッパでも起きた。そして、人間が発見したほとんどすべての島でも同じことが起きた。マダガスカル島もそのひとつだった。

マダガスカル島は何百万年ものあいだ、世界のほかの部分から切り離されていたために、この島ではここにしかいないめずらしい動物たちが、たくさん進化していた。たとえば、ゴリラより大きくなることがあるジャイアントキツネザルや、巨大なダチョウに似ているエピオルニスがいた。エピオルニスは飛ぶことができず、立つと高さが３メートル、重さは500キログラム近くもある、**世界最大の鳥だった**――自分の家の裏庭では、バッタリ出くわしたくない相手だね。でも、これらの大きな鳥やジャイ

アントキツネザルは、マダガスカルのそのほかの大型動物の大半とともに、およそ1500年前にとつぜん姿を消してしまった。それは、人間がはじめてその島に足をふみ入れた時期と一致していた。

　太平洋から地中海にいたるまで、世界じゅうの数千という島々のほとんどで、同じような惨事が起きた。とても小さな島であっても、そこで何千年ものあいだ暮らしていた鳥や昆虫やカタツムリが人類の上陸とともに急にいなくなった証拠を、考古学者たちは見つけだしてきている。

　現在まで**人間の影響をまぬがれてきたのは、とても遠くの、数えるほどの島だけだ**。そしてそうした場所では今もまだ、興味深い動物たちが暮らしている。最も有名な例はガラパゴス諸島で、そこはガラパゴスゾウガメのふるさとだ。オーストラリアのディプロトドンと同じように、ガラパゴスゾウガメも人間をまったく怖がらない。

　もしだれもが、これまでに人間がいったい何種類の動物を絶滅に追いやったのかを知っていれば、まだ生きている動物の保護にもっと熱心に取りくむかもしれない。これからも気をつけないと、私たちの祖先がマンモスやディプロトドンを絶滅させてしまったように、私たちもまたライオンやゾウやイルカやクジラを絶滅させることになるだろう。世界に残される大きな生きものは、人間と、人間が飼っているペットと家畜だけになってしまう。野生の大型動物がまったくいない、そんな世界が待っているかもしれない。

きみのスーパーパワーを使おう！

私たちの祖先がマンモスとディプロトドンを絶滅させてしまったときには、自分たちが何をしているかを知らなかった。でも私たちはもう、そんな言いわけをすることはできない。ライオンやゾウやイルカやクジラに自分たちが何をしているのか、よくわかっているんだもの。人間は動物たちの未来に責任がある。そしておとなか子どもかに関係なく、できることは必ずある。おぼえていてほしいんだ。子どものきみだって、**もうライオンやクジラよりも大きな力をもっている！** たしかにクジラはきみたちよりずっと大きいけれど、きみにはスーパーパワーがある――きみは物語を話し、みんなで力をあわせることができる！

シロナガスクジラは史上最大の動物で、最大の恐竜より、もっと大きくて重い！長さは30メートル、重さは150トンをこえることもある。1頭のシロナガスクジラは子ども5000人と同じくらいの重さだ。それなのに、クジラは人間から身を守ることができない。なぜなら、人間はとても奇妙な物語を話し、とても巧みな方法で力をあわせることをおぼえてしまい、それをクジラは理解できていないからだ。

1000年前にクジラをつかまえようとしたのは、こわれやすい木の小舟に乗って木で作った槍を手にした、少人数の漁師のグループだった。クジラたちは、ときにはこうした小舟から逃げられたし、小舟を壊して沈めてしまうことさえあった。でも今では、人間は新しい方法で力をあわせることを知ってしまった。人々は会社を作りはじめたんだ。

きみは前に話した「会社」のことを、おぼえているだろうか。マクドナルドみたいなものだ。さて、マクドナルドはハンバーガーとフライドポテトを売っているわけだけれど、いくつかの会社はクジラをつかまえること（捕鯨）を専門とした。これらの会社は、大きな鉄の船を買い、海のなかを探知できる「ソナー」と、長距離まで届く大砲を備えた。今ではもう、**クジラは隠れることも、逃げることも、船を沈めることもできなくなってしまった**。それに、もし1隻の船を沈めて、そこに乗っていた人たちをおぼれさせたとしても、会社はまた新しい船を買って、新しい船乗りを雇うだけだ。クジラは会社を沈めることはできなかった。なにしろ、会社というものがあることさえ知らなかったんだからね。見ることも、聞くことも、においを嗅ぐこともできないもの、別の動物の想像のなかだけにあるものから、どうすれば身を守ることができるだろうか？

だから、クジラとりの会社はどんどんクジラをつかまえ、どんどんお金をもうけていった。今から50年前に、シロナガスクジラはほとんど姿を消してしまった。ちょうどマンモスと同じようにね。でもさいわいなことに、何人かの人たちがたいへんなことになっていると気づき、クジラを救おうと決心したんだ。その人たちは自分も人間で、お金についても、会社の仕組みについても知っていたから、何をすればいいかもわかった。そこで新聞社に手紙を書き、政治家に嘆願書を書いて署名をし、デモ

隊を集めた。町の人々には、クジラをつかまえる会社の製品を買わないように訴え、政府には、捕鯨を禁止するよう求めた。**このすべてを実行した人たちの多くは、子どもだ。**

それらの子どものひとりが、ケネス・ゴームリーという名前の 11 歳のアメリカの少年だった。1968 年のある日、この少年は何隻かの船がクジラの群れを取り囲んでいるところを目にした。人間は鋼でできた網を用意し、ダイバーと水上飛行機まで使ってクジラの位置をたしかめ、閉じこめていった。クジラの群れには母親と、その赤ちゃんもいた。母親クジラはなんとか網に穴をあけて逃げたけれど、鋼の網のせいで体に傷がつき、血を流しはじめた。赤ちゃんクジラは母親のあとについていくことができず、網のなかに閉じこめられた。**ケネスには、母親と赤ちゃんがたがいに呼びあう声が聞こえた。**そして猟師が網のなかの赤ちゃんクジラをつかまえ、船に引き上げるのも見えた。赤ちゃんは母親を呼んで鳴きつづけ、母親は船を追いかけたけれど、赤ちゃんを助けることはできなかった。

ケネスは自分の目で見たこと、耳で聞いたことにうろたえ、そのすべてを書きとめて、地元の新聞社に送った。ケネスが書いた物語は新聞に掲載され、のちに市民集会で読み上げられた。そしてケネスの訴えを聞いたたくさんのおとなは、すぐ、クジラの苦しみがどれほどのものかを理解したんだ。

このあとも、もっと長い時間、もっとたくさんの記事、手紙、デモが続き、ようやく**最後にみんなの力が効果を発揮した。**世界じゅうの政府が捕鯨禁止の法律を通過させ、条約に署名したんだね。こうしてシロナガスクジラは救われた。少なくとも、しばらくのあいだは。でもシロナガスクジラは今でもまだ、ほかのたくさんの動物たちと同じように、危険な状態だ。動物たちは、自分で自分の身を守ることができない。新聞に記事を書くことも、だれかに手紙を送ることも、政府に圧力をかけることもできないからね。でも、きみにはできる。きみが会社というものの仕組みを理解し、ソーシャルメディアによい物語を書く方法や、デモの集まりを開く方法をおぼえれば、クジラやそのほかの動物たちを救う役に立てる。クジラはきみのことを、とってもたくさんのすばらしいことをできる**スーパーヒーローのように思っているよ、きっと。**

世界じゅうでいちばん危険な動物

　こうして私たち人類は、地球という惑星を支配するようになった。そしてほかのすべての動物の運命を、自分たちの手ににぎるようになったんだ。人類は、はじめて町を作り、車輪を発明し、文字を書く方法をおぼえるよりも前に、すでに世界じゅうのあらゆる場所に広がって、大型動物のおよそ半分を殺してしまっていた。人類は、この惑星の歴史上ではじめて、ほとんどすべての大陸と島々にたどり着いて、自分たちだけで世界をすっかり変えることができた動物だった。

　私たちの祖先はそのすべてを、人類だけがもつ能力を用いてなしとげた。それは、物語を作りだせること、そしてたくさんの人数で力をあわせられることだ。このふたつが、私たちの種類の人類を、ネアンデルタール人よりも、ライオンやゾウよりも、はるかに強くした。だから私たちは、世界じゅうでいちばん危険な動物になった。

　これできみは、私たちの大昔の祖先の物語を知ったことになる。なぜきみが、ときどき真夜中に目をさましてベッドの下に怪物がいると思ってこわくなるのか、キャンプファイヤーのまわりにすわって炎がゆれる様子を見つめていると心地よいのか、体によくないと思いながらチョコレートケーキをぜんぶ食べてしまいたくなるのか、もうわかったね。

　指の骨１本だけでも、もういなくなってしまった人類全体のことを知る手がかりになることも、わかったはずだ。いくつかの島にはかつて小型の人類だけが住んでいたことも、石器時代にはほとんどの道具が石で作られていたわけではないことも、ほとんどの人々は洞窟には住んでいなかったこともわかったはずだ。それに、10代の若者や小さな女の子も、ときにはとても大切な科学上の発見ができることもわかっただろう。そして、きみがとてもよい物語を考えだして、たくさんの人々がそれを信じれば、**世界を征服できる**ことも。

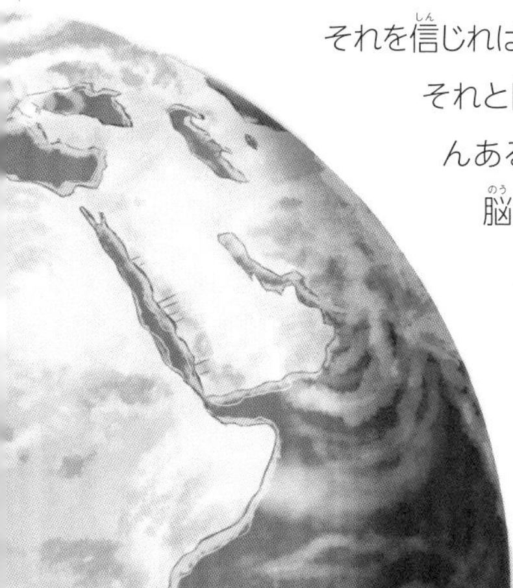

それと同時に、私たちがまだ知らないことが、とてもたくさんあることもわかった。ネアンデルタール人がその大きな脳で何をしていたのか、サピエンスとネアンデルタール人とがときには恋に落ちたこともあったのか、石器時代の家族とはどんなものだったのか、私たちにはわからない。そのころ人々がどんな宗教を信じていたのかも、わからない。

そしてほかにもまだ疑問がある。この本では、私たちの祖先がどのようにして世界でいちばん強い動物になったのか、ネアンデルタール人やデニソワ人や、そのほかのいくつかの種類の人類がいなくなるなか、どのようにして世界じゅうに広がっていったのか、世界のたくさんの動物たちをどのようにして絶滅に追いやったのかを説明してきた。でもそのすべてをやってのけたあとでも、私たちの祖先はまだ自動車も、飛行機も、宇宙船も作ることはできなかった。**まだ文字を書く方法も知らなかった。**まだ農場も町ももっていなかった。コムギの育て方も、パンの作り方さえ知らなかった。では、こうしたことのすべてを、どのようにして学んだのだろうか？

それはまた、まったく別の物語だ。

感謝のことば

ひとりの子どもを育てるには、たくさんの人たちの力が必要になる。1冊の本を作るにも、たくさんの人たちの力が必要だ。

本の表紙には、たいていはその本を書いた人(著者)の名前だけが大きな文字で出ている。だからきみはそれを見て、その人がひとりだけで本を書いたのだと思ってしまうかもしれない。もしかしたら、その人が1年じゅうずっと部屋にすわり続けて、コツコツとすべてを書きとめていって——ほら、できた! 新しい本の完成だ! なんて言って喜ぶ場面を思い浮かべるかもしれないね。

でも実際はまったくちがう。1冊の本を完成させるまでには、とてもたくさんの場所で、とてもたくさんの人たちが熱心に働き、著者にはできなかったこと、著者はやり方さえ知らなかったたくさんのことを、してきたんだよ。こうしたおおぜいの人たちの力がなければ、本ができあがることはないだろう。

ひとつの文をキーボードで打ち込もうと思えば、ふつうは何秒かで終わる。でもこの本では、たったひとつの文を書くのに実際には何週間もの時間がかかったこともあった。書こうとすることが正しい事実かどうかを、たしかめなければならなかったからだ。今月はネアンデルタール人についての科学論文を読むのに忙しく、翌月はクジラについてのあらゆる資料に熱中する、なんていうこともあった。

別の人たちは、この本で伝えたいメッセージについてじっくり考えてくれた。それはほんとうに、歴史について読者のみんなに知ってほしいことだろうか? まちがえて理解してしまう読者はいないだろうか? だれかを傷つけることはないだろうか? それから、文章の形式について考える人たちもいた。この文はわかりやすいだろうか? もっとわかりやすくはならないだろうか?

この本の絵についても同じことが言える。何度も何度も描きなおし、行ったり来たりしてなかなか決まらず、何かをスケッチしてはゴミ箱に投げ入れ、何かを描いて、描きなおして、また描きなおすという繰り返しの末にできあがった絵もあった。ここは男の子の絵がいいだろう。いや、女の子のほうがいい。もしかしたら、もう少しだけ小さい子のほうがいいかもしれない。いや、それでは小さすぎる……。

こうして、ひとつの文を書き1枚の絵を描くにもたくさんのEメールが行き交い、電話での相談と会議が繰り返されることもあった。Eメールと電話と会議を調整して、とりまとめる人も必要になった。さらに、契約書への署名、給料の支払い、それから食べるものの用意を担当する人たちも忘れてはいけない——何も食べないで何かをできる人はいないからね。

そこで私は、この本を完成させるために力を貸してくれたすべての人たちに、ここでお礼の言葉を述べたい。ひとりでも欠けていたら、この本を完成させることはできなかった。ほんとうにありがとう。

リカル・ザプラナ・ルイズはすばらしい絵を描いて、人間の歴史に生命を吹きこんでくれた。

ジョナサン・ベックはこのプロジェクトを熱心に支え、実現に力を貸してくれた。

スザンヌ・スタークとセバスチャン・ウルリッチは、子どもたちの目をとおして世界を見る方法を教えてくれただけでなく、私が自分で思っているよりわかりやすく、よりはっきりした、より深い意味をもつ文を書けるようにしてくれた。そしてふたりは、一語一語を慎重に、何度も読みなおして、この本が興味深くてわかりやすい物語を伝えながら科学的な正確さも失っていないことを確かめてくれた。

そして、サピエンシップ・チームのすばらしいみんな——ナーマ・ヴァルテンブルク、ジェイスン・パリー、ダニエル・テイラー、マイケル・ズール、ニーナ・ズィヴィ、シェイ・エイベル、グアンユー・チェン、ハンナ・モーガン、ガリエト・ゴテルフ、ナダヴ・ノイマン、ハンナ・ヤハヴ、エティー・サバグ。才能豊かなコピー・エディターのエイドリアナ・ハンター、レイアウト・デザイナーのハンナ・シャピロ、多様性コンサルタントのスラヴァ・グリーンバーグ。そのすべてを率いてくれた、熱心で才能にあふれたCEOのナーマ・アヴィタル。このプロジェクトに力を貸してくれたチーム・メンバーのすべて、ひとりひとりに、心から感謝している。参加した全員のプロ意識、努力、創造性がなければ、この本が完成することはなかった。

また、私の母プニーナ、姉妹のエイナットとリアト、姪と甥のトメル、ノガ、マタン、ロミ、ウリにも、それぞれの愛と支えに感謝している。

この本がまさに完成しようとしていたとき、私の祖母ファニーが100歳でこの世を去った。祖母がもたらしてくれた限りないやさしさと喜びに、これからも感謝を忘れることはないだろう。

最後に、夫のイツィクに感謝の言葉をささげたい。何年も前からこの本を作ることを夢に見て、この本の作成をはじめとしたさまざまなプロジェクトを実現させるためにサピエンシップを設立し、これまで20年以上にわたって私にひらめきを与え続けてくれたイツィクは、すばらしい相棒だ。

——ユヴァル・ノア・ハラリ

私の仕事仲間であるすべてのホモ・サピエンスのみなさん、知識と友情を共有してくださって、ほんとうにありがとう。

エイダ・ソレールとローザ・サンペールには、応援に感謝している。

サピエンシップ・チームを構成するプロフェッショナルのみなさんには、この本を作るあらゆる段階での手助けと助言に感謝している。

そしてもちろんユヴァル・ノア・ハラリには、私の絵を信頼して地球の裏側までこの本の文章をもってきてくれたことに、心から感謝している。

——リカル・ザプラナ・ルイズ

この本について

科学のすばらしいところは、たえず新しいことを見つけ続けている点にある。科学者たちは毎年毎年、新しい発見をして、世界に対する人々の考え方を変化させてきた。この本では、最も新しい科学的な知識をもとにしてみんなに話をしてきたつもりだけれど、なかには科学者によって意見が異なっている部分もある。そのうえ、人類の歴史にはまだわからないことも残されていて、一部は謎に包まれたままなんだ。でも、ちょっと待って！　それは、すべてがあやふやだということではないんだよ。この地球上には、かつて、たくさんの異なる種類の人類がいたということははっきりしている。そして今まで残っている種類の人類（私たち）だけが、動物と植物を支配する方法を身につけ、町や帝国を築き、宇宙船や原子爆弾やコンピューターを発明したのも、たしかなことだとわかっている。こうしたとてつもなく大きな変化が、きみたちが暮らしている今の世界を作りあげてきた。もしかしたら、いつかはきみが、世界に対するすべての人々の考えを変えてしまうような何かを、発見するかもしれないね……。

著者

ユヴァル・ノア・ハラリ

Yuval Noah Harari

イスラエルの歴史学者、哲学者。1976年生まれ。オックスフォード大学で中世史、軍事史を専攻して2002年に博士号を取得。現在、エルサレムのヘブライ大学で歴史学を教えるかたわら、2020年のダボス会議での基調講演など、世界中の聴衆に向けて講義や講演も行なう。また、『ニューヨーク・タイムズ』紙、『フィナンシャル・タイムズ』紙、『ガーディアン』紙などの大手メディアに寄稿している。著書『サピエンス全史』『ホモ・デウス』『21 Lessons』（以上、河出書房新社）は世界的なベストセラーとなっている。

絵

リカル・ザプラナ・ルイズ

Ricard Zaplana Ruiz

1973年、バルセロナ生まれのイラストレーター。映画やテレビの世界で仕事を始め、ディズニーやレゴなどのブランドの、子ども向け書籍や雑誌のイラストを手がける。

訳者

西田美緒子

にしだ・みおこ

翻訳家。津田塾大学英文学科卒業。訳書に、G・E・ハリス編『世界一素朴な質問、宇宙一美しい答え』『世界一ときめく質問、宇宙一やさしい答え』、R・ウォーカー著／K・ブライアン監修『こども大図鑑 動物』（以上、河出書房新社）など多数。

人類の物語 Unstoppable Us
ヒトはこうして地球の支配者になった
2022年11月20日　初版印刷
2022年11月30日　初版発行

著者
ユヴァル・ノア・ハラリ

絵
リカル・ザプラナ・ルイズ

訳者
西田美緒子

発行者
小野寺優

発行所
株式会社河出書房新社
〒151-0051　東京都渋谷区千駄ヶ谷2-32-2
電話03-3404-1201［営業］
　　03-3404-8611［編集］
https://www.kawade.co.jp/

装幀・組版デザイン
木庭貴信＋角倉織音（オクターヴ）

組版
株式会社キャップス

印刷
大日本印刷株式会社

製本
小泉製本株式会社

Printed in Japan　ISBN978-4-309-62931-5

4万5000年前

スンギル遺跡の墓

ヴィレンドルフのヴィーナス

ライオンマン

ラスコー洞窟

デニソワ洞窟

オハロの野営地

サピエンスの
生まれ故郷

はじめて
火を使いこなせる
ようになった

フローレス島

大昔に
海へと漕ぎだした

はじめて
道具を作った

5万年前

歴史の
世界地図

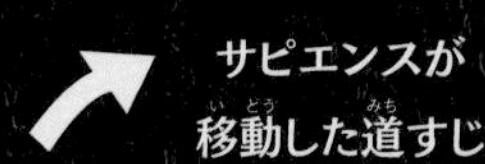